Schritt für Schritt

GARTENBAU
MIT HOLZ UND STEIN

Schritt für Schritt

GARTENBAU
MIT HOLZ UND STEIN

Text von Mike Lawrence

Fotos von Neil Sutherland

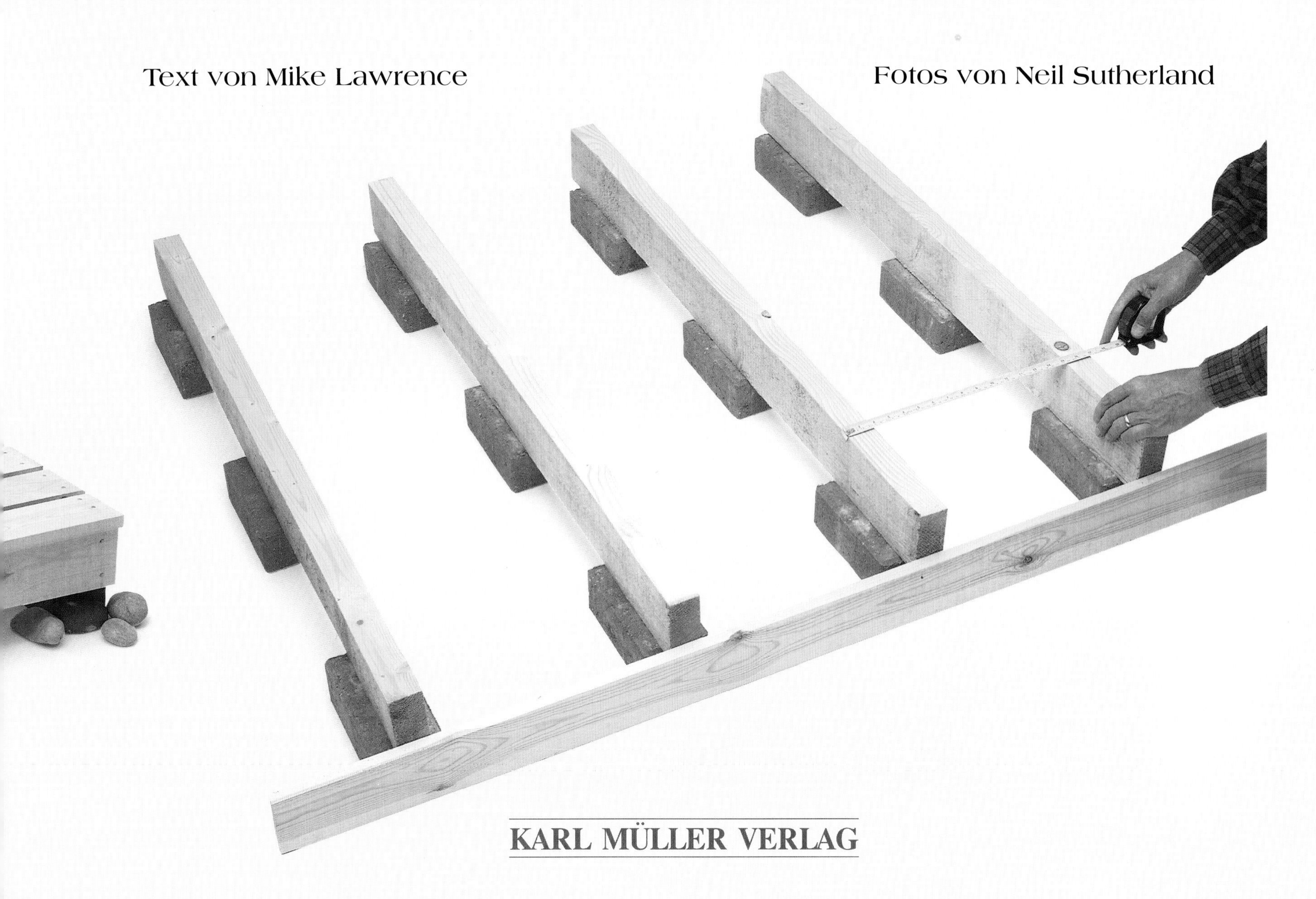

KARL MÜLLER VERLAG

Titel der Originalausgabe: A creative Step-by-Step Guide to: Garden Projects
Übertragung aus dem Englischen: Ingrid Ahnert
Lektorat: Anja Silvia Frank

DER AUTOR

Mike Lawrence verfaßt seit über 20 Jahren Artikel über Haus- und Gartenerschließung, die regelmäßig in den verschiedensten Fachzeitschriften erscheinen. Darüber hinaus ist er Autor und Herausgeber von mehr als 40 Büchern und drei bedeutenden Standardwerken. Zudem hat er 7 Jahre lang bei einem unabhängigen Radiosender gearbeitet und jeden Sonntagmorgen Hörerfragen zum Thema „Haus und Garten" beantwortet. Seine handwerklichen Fähigkeiten hat er sich selbst mühsam beigebracht, nachdem er zusammen mit seiner jungen Familie aus einem sterilen Neubau in ein altes Bauernhaus einzog, das seit dem Tag seiner Erbauung niemals saniert worden war. Nachdem er dieses von Grund auf renoviert hatte – diese Arbeit nahm 18 Jahre in Anspruch –, zog er in ein neues Haus in dem vergeblichen Bemühen, dem ständigen Heimwerken zu entfliehen. Schließlich fand er ein unberührtes Grundstück, das dringend einer kreativen Gartenerschließung bedurfte.

DER FOTOGRAF

Neil Sutherland arbeitet seit über 25 Jahren in den verschiedensten Bereichen der Fotografie, wie zum Beispiel Stilleben, Porträtfotografie, Reportage, Naturgeschichte, Kochen, Landschafts- und Reisefotografie. Seine Arbeiten sind in zahllosen Büchern und Zeitschriften veröffentlicht worden.

Schmutztitel: *Mit Ziegelsteinen lassen sich ideale Hochbeete gestalten; hier ist eines mit einem prachtvollen Rhododendron zu sehen.*

Titelseite: *Mit Holz kann man auf verhältnismäßig einfache und wirkungsvolle Weise einen reizvollen Terrassenbelag herstellen.*

Impressumseite: *Ein schlichter, blau-grau bemalter Lattenzaun markiert nicht nur eine Grundstückgrenze, sondern stellt auch einen hübschen Hintergrund für ein Beet mit einjährigen Blumen dar.*

INHALT

Das Gerüst Ihres Gartens 10 - 11
Plattenbeläge auf Sand 12 - 13
Pflasterbeläge auf Sand 14 - 15
Variationen eines Themas 16 - 17
Kombination von Pflaster- und Plattenbelägen 18 - 19
Mörtel und Beton 20 - 21
Plattenbeläge auf Mörtel 22 - 23
Unregelmäßige Platten 24 - 25
Einfassungen, Fliesen und Platten 26 - 27
Kiesel und Kopfsteinpflaster 28 - 29
Verlegen eines Kiesweges 30 - 31
Gestalten mit Kies 32 - 33
Holzroste 34 - 35
Noch mehr Holzroste 36 - 37
Gartendecks 38 - 39
Bau einer Ziegelmauer 40 - 43
Mauerverbände 44 - 45
Bau von Stützpfeilern 46 - 47
Eine Steinmauer 48 - 49
Bau eines Sichtschutzes 50 - 53
Aufstellen von Zaunpfosten 54 - 55
Montage fertiger Zaunteile 56 - 57
Ein dichtgelatteter Zaun 58 - 61
Ein Ranchzaun 62 - 63
Bau eines Lattenzaunes 64 - 65
Verschiedene Gartenzäune 66 - 67
Bau von Ziegelstufen 68 - 69
Bau von Holzstufen 70 - 71
Bau einer Pergola 72 - 73
Bau eines Sitzplatzes 74 - 75
Sitzplätze im Garten 76 - 77
Bau eines Frühbeetes 78 - 79
Der Deckel des Frühbeetes 80 - 81
Bau eines Pflanzgefäßes aus Holz 82 - 83
Verleihen des letzten Schliffes 84 - 85
Bau eines Futterplatzes für Vögel 86 - 87
Bau eines Nistkastens 88 - 89
Register, Bildnachweis und Danksagungen 90 - 92

Das Gerüst Ihres Gartens

Einen Traumgarten erhalten Sie sicherlich kaum, wenn Sie nur einiges anpflanzen. Zunächst sollten Sie das zur Verfügung stehende Grundstück abgrenzen; dies erfolgt zum einen aus Sicherheitsgründen, zum anderen gibt man sich damit einen begrenzten Rahmen vor, innerhalb dessen der Garten gestaltet wird. Dies bedeutet, daß man zuerst einen Zaun errichtet oder eine stabile Grundstücksmauer baut. Je nach Art der Einfriedung kann diese bei Bedarf ein dominierendes Element innerhalb des Gartens werden, oder aber als schlichter Hintergrund für ein geplantes Bepflanzungsschema dienen. Als nächstes benötigt der Garten einige stabile Flächen – Terrassen, Holzroste, Wege und sogar Treppen, falls das Grundstück sich dazu eignet –, damit Sie im Freien sitzen und sich frei bewegen können, selbst wenn der Untergrund einmal feucht ist. Da diese Elemente gleichzeitig einen dekorativen sowie funktionellen Zweck erfüllen und langlebig sein sollen, müssen sie sorgfältig geplant und gebaut werden. Dreidimensionale Strukturen, wie beispielsweise Pergolen und Rosenbögen, stellen erstens optische Elemente für sich allein dar, lockern den Gartenentwurf auf und bringen zweitens Kletterpflanzen perfekt zur Geltung. Der Vollständigkeit halber braucht jeder Garten noch einige schlichtere Elemente, angefangen von Sitzgelegenheiten und Frühbeeten bis hin zu Übertöpfen und Vogelhäuschen. In diesem Buch finden Sie zahlreiche Anregungen zu den verschiedenen Projekten, egal ob Sie nun Ihren Garten im großen Stil umgestalten möchten oder nur kleinere Elemente in ein bereits bestehendes Schema integrieren wollen.

Links: *Holzstege runden einen Gartenteich ab.* ***Oben:*** *Eine schlichte Gartenbank*

Plattenbeläge auf Sand

Ein Gartenweg oder ein Terrassenbelag läßt sich am schnellsten realisieren, wenn man Pflasterplatten auf einem Sandbett verlegt. Da die Platten relativ groß sind, kann man schnell eine beträchtliche Fläche bedecken. Die meisten Platten sind quadratisch oder rechteckig; quadratische Platten sind mit den Abmessungen 20 cm oder 30 cm bis hin zu 60 cm erhältlich, rechteckige Platten sind in Größen von 20 x 40 cm bis hin zu 50 x 75 cm erhältlich. Bei manchen Sortimenten wird Sechseckverbundpflaster angeboten, das aus zweierlei Sorten halbierter Sechsecke für den Randabschluß der Pflasterfläche sowie Platten mit einem viertelkreisförmigen Ausschnitt in einer Ecke besteht; vier nebeneinandergelegte Platten dieser Art ergeben eine kreisförmige Öffnung, mit denen sich ein Baum oder eine Solidärpflanze einfassen lassen. Die meisten Platten sind in braun, rot und grau erhältlich; die Oberflächenbeschaffenheit kann glatt, strukturiert oder gespalten sein. Weiterhin gibt es erhaben gearbeitete Oberflächen, die Pflaster- oder Ziegelsteinen ähneln. Wählen Sie entsprechende Platten aus und markieren Sie zunächst den Standort mit Pflöcken und Schnüren, damit Sie alles vermaßen und einen einfachen, maßstabsgetreuen Plan zeichnen können. Dieser ist eine wertvolle Hilfe bei der genauen Abschätzung des Materialbedarfes und zudem ein nützlicher Verlegeplan, wenn man ein Muster mit unterschiedlich gefärbten Platten erzeugen möchte. Nachdem der Standort gereinigt und ausgehoben ist, muß eine Randbegrenzung angebracht werden, um ein Auswaschen des Sandbettes zu verhindern. Erst danach können die Platten verlegt werden.

5 Die Pflasterfläche sollte eine leichte Neigung aufweisen, damit das Regenwasser besser abfließen kann.

1 Auf lockerem Untergrund ist es nötig, eine Schicht festes Material aufzutragen und zu verdichten (Schotter, Kies).

2 Den Boden bis zur erforderlichen Tiefe abtragen und begradigen. Tragen Sie eine 1 cm dicke Schicht der Füllung auf und verdichten Sie diese mit einem Holzpflock.

3 Bringen Sie den Sand auf die verdichtete Füllung mit einer Schaufel auf und arbeiten Sie ihn gleichmäßig bis auf eine Tiefe von 3 bis 5 cm ein.

4 Begradigen Sie den Sand mit einer gekerbten Holzlatte, falls Randbegrenzungen vorhanden sind. Der Abstand zur Oberkante sollte mit der Randkante abschließen.

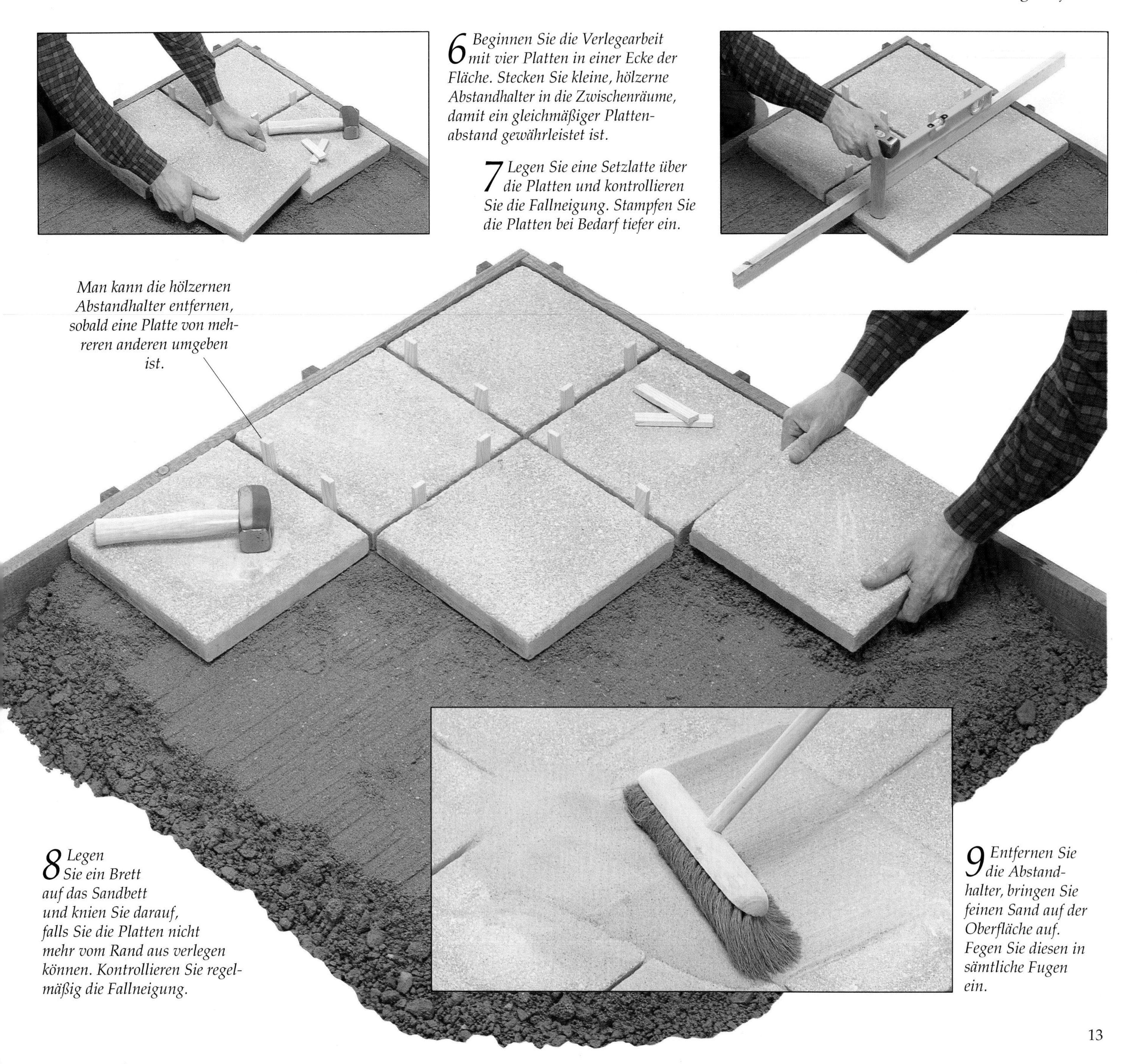

6 Beginnen Sie die Verlegearbeit mit vier Platten in einer Ecke der Fläche. Stecken Sie kleine, hölzerne Abstandhalter in die Zwischenräume, damit ein gleichmäßiger Plattenabstand gewährleistet ist.

7 Legen Sie eine Setzlatte über die Platten und kontrollieren Sie die Fallneigung. Stampfen Sie die Platten bei Bedarf tiefer ein.

Man kann die hölzernen Abstandhalter entfernen, sobald eine Platte von mehreren anderen umgeben ist.

8 Legen Sie ein Brett auf das Sandbett und knien Sie darauf, falls Sie die Platten nicht mehr vom Rand aus verlegen können. Kontrollieren Sie regelmäßig die Fallneigung.

9 Entfernen Sie die Abstandhalter, bringen Sie feinen Sand auf der Oberfläche auf. Fegen Sie diesen in sämtliche Fugen ein.

Pflasterbeläge auf Sand

Pflastersteine sind ein verhältnismäßig neues Material im Gartenbau, das sich außergewöhnlicher Beliebtheit erfreut. Die Steine sind klein und handlich. Sie können trocken auf Sand verlegt werden und lassen sich gut versetzen. Da Pflasterbeläge im Gegensatz zu Plattenbelägen sogar schadlos mit Kraftfahrzeugen belastet werden können, lassen sie sich überall im Garten als stabile Oberflächen einsetzen. Diese Robustheit ist auf eine spezielle Verzahnung des Belages zurückzuführen. Man muß jedoch das Sandbett mit einer durchgehenden Randbegrenzung versehen, damit der Sand nicht ausgewaschen wird. Die Pflastersteine sind in vielen verschiedenen Färbungen erhältlich; die in der Regel rechteckigen Steine weisen die Maße 10 x 20 cm auf, die Stärken betragen zwischen 5 und 10 cm. Eine solche Form ermöglicht das Verlegen der Pflastersteine in vielen Mustern, angefangen von einem Läuferverband, der einem Mauerwerk ähnelt, bis hin zu Fischgrät- und Korbflechtmustern. Sie können die Pflastersteine auch diagonal auf der Fläche verlegen und die Ecken mit entsprechend zugeschnittenen Stücken füllen. Falls das Muster viel Zuschnitt erfordert, sollte man sich eine hydraulisch gesteuerte Plattensäge leihen; mit diesem Gerät lassen sich saubere Schnitte durch das harte Material durchführen.

3 Legen Sie das Verlegemuster fest und setzen Sie die ersten Steine auf das Sandbett. Für eine Terrasse oder einen Weg genügt es, wenn Sie die einzelnen Steine mit dem Griff eines Hammers auf ein Niveau in den Sand stampfen.

1 Fassen Sie zunächst die gesamte vorgesehene Pflasterfläche mit kleinen Holzpföcken und Holzlatten ein. Füllen Sie Sand auf und begradigen Sie die Oberfläche mit einer Holzlatte.

2 Damit der Belag mit der Randeinfassung abschließt, müssen Sie die Stärke der Steine messen und den Sand entsprechend tief feststampfen. Stellen Sie sicher, daß die Fläche ganz leicht abfällt.

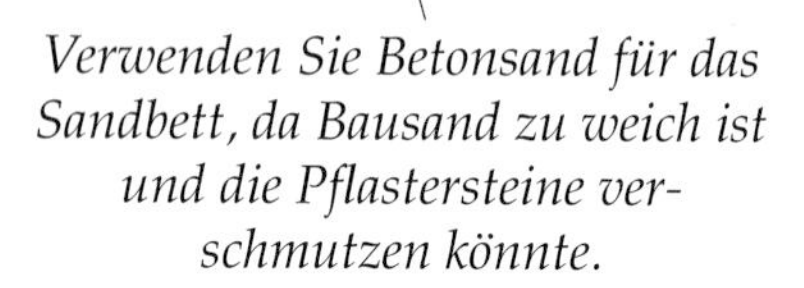

Verwenden Sie Betonsand für das Sandbett, da Bausand zu weich ist und die Pflastersteine verschmutzen könnte.

4 Die meisten Muster haben einen geraden Abschluß. Hier wird eine einzige Reihe entlang des Randes verlegt. Stellen Sie mit Hilfe einer Setzlatte und einer Wasserwaage sicher, daß sich die zweite Reihe auf gleicher Höhe befindet.

5 Verlegen Sie weitere Steine im vorgesehenen Muster. In diesem Fall entsteht ein Korbflechtmuster mit jeweils zwei Steinen, die im rechten Winkel zueinander versetzt werden.

6 Fahren Sie mit der Verlegearbeit fort und arbeiten Sie von einer Kante beginnend nach innen weiter. Überprüfen Sie regelmäßig das korrekte Einhalten des Musters.

7 Kontrollieren Sie mit einer Setzlatte nach Fertigstellung eines kleines Abschnittes, ob sich alle Steine auf gleicher Höhe befinden. Überprüfen Sie anschließend die Neigung mit Hilfe einer Wasserwaage.

8 Verteilen Sie feinen Sand auf der Oberfläche. Fegen Sie den Sand in sämtliche Fugen zwischen den Steinen und entfernen Sie den überschüssigen Sand.

Variationen eines Themas

Pflastersteine sind ein ideales Material für Wege, Terrassen und gepflasterte Bereiche im Garten, da sie problemlos und schnell zu verlegen sind. Die meisten Leute zielen auf eine einfarbige Wirkung ab, indem sie Pflastersteine einer einzigen Farbe verwenden und durch ein bestimmtes Verlegemuster einen zusätzlichen optischen Blickfang erzeugen. Da die Pflastersteine Standardgrößen aufweisen, kann man auch unterschiedlich gefärbte Steine verwenden und damit Muster erzeugen oder sie mit anderen Belagsmaterialien, zum Beispiel Platten (siehe Seite 18) oder Kieselsteinen, kombinieren. Pflastersteine sind in den verschiedensten Farbschattierungen erhältlich, angefangen von Gelb und Rot bis hin zu Braun oder Grau, so daß Sie je nach Geschmack entweder harmonisch abgestufte oder kontrastierende Ergebnisse erzielen können. Zu einer der einfachsten Möglichkeiten zählt das Einfassen der Pflasterfläche mit einer andersfarbigen Einfassung (siehe rechts). Wenn Sie unterschiedliche Farben auf der gesamten Fläche mischen wollen, können Sie Pflastersteine in einer zweiten Farbe entweder regelmäßig oder wahllos zwischen anderen Steinen einbauen. Während man mit dem Korbflechtmuster einen Schachbretteffekt erzielen kann, lassen sich mit dem beliebten Fischgrätmuster Zickzack-Linien mit verschiedenfarbigen Pflastersteine erzeugen. Wer die Steine behauen möchte, kann sogar noch viele weitere reizvolle Muster kreieren. Sehen Sie sich auch einmal die Verwendung von Pflastersteinen in öffentlichen Anlagen an und lassen Sie sich davon ein wenig inspirieren.

Oben: *Sie können Pflastersteine und frostunempfindliche Pflasterziegel leicht geschwungen verlegen, indem ganze und halbierte Stücke miteinander kombiniert werden. Dieser Weg ist auf einem Mörtelbett verlegt und hat offene Fugen.*

1 Arbeiten Sie zunächst das vorgesehene Muster auf Millimeterpapier aus, um die genaue Anzahl der Steine in der jeweiligen Farbe festzulegen. Beginnen Sie die Verlegearbeit an einer Kante, kontrollieren Sie das Ergebnis während des Arbeitens anhand des Planes.

Pflastersteine lassen sich problemlos von Hand behauen. Mit einer geliehenen Plattensäge gelingt das Ganze auch recht schnell.

2 Hier werden halbierte Steine mit einer Farbe von vier andersfarbigen, quadratisch angeordneten Steine eingerahmt. Das Motiv wiederholt sich auf der gesamte Pflasterfläche und erzeugt eine optische Wirkung.

1 Eine kontrastierende Einfassung ist die einfachste Möglichkeit. Die begrenzenden Steine werden untereinander angeordnet, während der Innenteil im Fischgrätmuster verlegt wird.

2 Stampfen Sie die Pflastersteine mit einer Holzlatte und einem Hammer in das Sandbett, bis alle Steine auf gleicher Höhe sind.

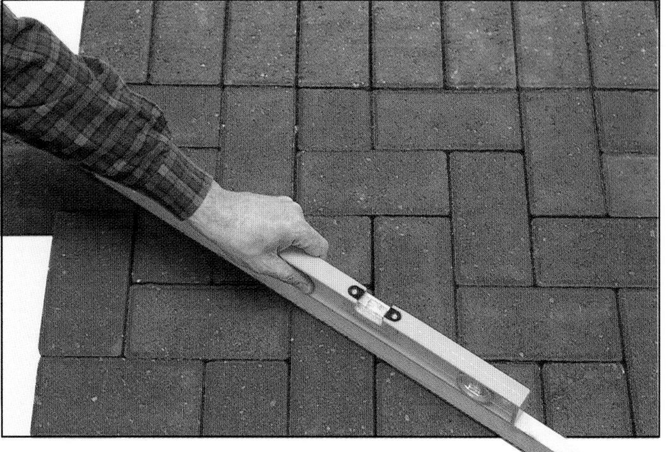

3 Stellen Sie mit einer Setzlatte und einer Wasserwaage sicher, daß die Pflasterfläche leicht abfällt. Jetzt kann das Wasser bei Regenfällen problemlos ablaufen.

Unten: *Kombinieren Sie verschiedene Materialien und Farben miteinander. Hier wurde ein Weg mit Pflastersteinen in zweierlei Farben und mit Platten verlegt, der in einen „Kreis" aus Ziegelsteinen mündet.*

Man kann wie hier ein einfarbiges Fischgrätmuster verlegen oder aber Steine mit unterschiedlicher Farbe und Oberflächenbeschaffenheit miteinander kombinieren.

4 Jetzt wird das Muster allmählich erkenntlich. Die zugeschnittenen Randstücke stellen die Verbindungsglieder des Fischgrätmusters dar.

Kombination von Pflaster- und Plattenbelägen

Kombinierte Pflastersteine kommen wirkungsvoll zur Geltung, wenn man statt eines viereckigen ein diagonales Gitter erzeugt. Auf diese Weise lassen sich gerade Linien oder Zickzack-Linien herstellen, die schräg zum Rand der Pflasterfläche verlaufen. Sie müssen jedoch bedenken, daß Entwürfe dieser Art viel Zuschneiden im Randbereich der Pflasterfläche erfordern. Berücksichtigen Sie dies bereits bei der Berechnung der benötigten Menge und bestellen Sie einige zusätzliche Steine, um einen eventuellen Verschnitt auszugleichen.

Man kann Muster nicht nur mit unterschiedlich gefärbten Pflastersteinen, sondern auch durch die Kombination verschiedener Belagsmaterialien erzeugen. Besonders reizvoll sieht es aus, wenn man Platten auf diese Weise einsetzt; sie wirken dann wie Trittsteine über einem Hintergrund mit einer kontrastierenden Farbe. Stimmen Sie die Größen aufeinander ab, die Platten sollten ein vielfaches Ganzes der Pflastersteine aufweisen, da andernfalls entweder unvereinbar breite Fugen entstehen oder ein äußerst aufwendiges Zuschneiden der Steine erforderlich wird. Da Pflastersteine Regelgrößen besitzen (10 x 20 cm), kann man sie mit Platten in den Größen 30, 60 oder 90 cm kombinieren, nicht jedoch mit anderen Formaten. Darüber hinaus muß man bedenken, daß Gartenplatten in der Regel nur eine Dicke von ungefähr 4 cm haben, wohingegen Pflastersteine zwischen 5 und 10 cm dick sein können. Aus diesem Grund ist es erforderlich, den Höhenunterschied mit Sand unter den Platten ausgleichen.

1 Bringen Sie zunächst die Randeinfassung und die äußere Pflasterreihe an. Verlegen Sie anschließend das diagonale Muster. Das lotrechte Verlegen des Musters läßt sich mit Hilfe einer gespannten Schnur überprüfen. Gleichen Sie die Lücken am Rand der Fläche bei Bedarf mit schräg zugeschnittenen Steinen aus.

Im Verlauf des Musters sollten Sie stets darauf achten, daß die noch freien Seiten gleich ausgerichtet sind und im rechten Winkel zur Randbegrenzung liegen.

2 Die schlichte graue Zickzack-Linie ergänzt perfekt die gerade Randeinfassung. Die schrägen Füllstücke lassen sich am saubersten mit einer elektrischen Plattensäge zuschneiden.

1 Verwenden Sie bei einer Kombination verschiedener Materialien nur Platten mit einem vielfachen Ganzen der Pflastersteinmaße.

2 Eine quadratische Anordnung von Platten und Steine ergibt eine Symmetrie.

***Links:** Hier sind Platten und Pflastersteine miteinander kombiniert. Quadrate aus jeweils vier glatten Platten sind von drei Pflasterreihen eingefaßt. Die Lücken an den Schnittpunkten werden mit zugeschnittenen Steinen gefüllt.*

***Rechts:** Eine Reihe verwitterter Pflasterziegel stellt einen hübschen Gegensatz zu Farbe und Oberflächenbeschaffenheit der umgebenden Platten dar.*

Unten: *Die Standard-Mörtelmischung für allgemeine Maurerarbeiten setzt sich aus einem Teil Portland-Zement, einem Teil gelöschten Kalk und 6 Teilen feinem Sand zusammen. Sie können anstelle von Zement und Kalk auch Mauerzement verwenden oder den Kalk durch einen chemischen Weichmacher ersetzen.*

Mörtel und Beton

Mörtel und Beton sind die Rohmaterialien für sämtliche Bauwerke. Mörtel ist ein Gemisch aus Zement, gelöschtem Kalk, feinem Sand und Wasser. Er wird als Bindemittel für Ziegel und Pflastersteine beim Mauer- und Treppenbau oder als festes Substrat beim Verlegen verschiedener Belagsmaterialien verwendet. Durch den gelöschten Kalk läßt sich der Mörtel einfacher verarbeiten als ein reines Zement-Sand-Gemisch, zudem verhindert er ein Zusammenziehen und Springen des Mörtels beim Trocknen. Man kann ihn im Gemisch durch einen flüssigen, chemischen Weichmacher ersetzen, der vor der Zubereitung des Mörtels dem Wasser zugesetzt wird. Man kann aber auch einen speziellen Mauerzement verwenden, der bereits einen Weichmacher statt Zement und gelöschten Kalk enthält; vermischen Sie einen Teil dieses Zements mit 5 Teilen Sand.

Betongemische werden für den Bau von Fahr- und Fußwegen sowie Terrassen und Treppen verwendet, oder als stabiles Fundament für Mauern und Gartengebäude. Da der Sand dem Mörtel seine typische Farbe verleiht, sollten Sie während der gesamten Bautätigkeit den selben Sand verwenden. Heller Sand und weißer Zement ergeben einen hell gefärbten Mörtel. Beton für unterirdische Arbeiten ist ein Gemisch aus einem Teil Zement, 2 Teilen grobem Sand und 3 Teilen Zuschlagstoffen. Trockene Mörtel- oder Betonfertigmischungen, die nur noch mit Wasser versetzt werden müssen, eignen sich für kleinere Vorhaben.

1 *Häufen Sie die trockenen Bestandteile im angegebenen Mengenverhältnis auf eine glatte, feste Fläche auf.*

2 *Vermischen Sie die Bestandteile, indem Sie den Haufen mit einer Schaufel umwenden. Arbeiten Sie vom Rand des Haufens beginnend nach innen.*

3 *Falls der Sand zu feucht ist, bilden sich im Gemisch Klumpen aus. Zerstoßen Sie diese, indem Sie die Schaufelspitze wie ein Hackbeil einsetzen.*

Fügen Sie dem Gemisch Wasser bei, falls Sie einen Weichmacher statt Kalk benutzen.

4 Formen Sie in der Mitte des Haufens eine Vertiefung, sobald die Mischung einheitlich gefärbt ist. Gießen Sie mit einer Gießkanne wenig Wasser an.

5 Schaufeln Sie das trockene Gemisch vom Rand in die Vertiefung, damit es Wasser aufnehmen kann. Wenden Sie die Mischung um, fügen Sie bei Bedarf weiteres Wasser zu, bis das Ganze eine einheitliche Konsistenz für die Maurerarbeiten aufweist. Die Mischung darf keinesfalls zu naß sein.

6 Testen Sie die richtige Konsistenz, indem Sie mit der Schaufel kleine Wellenlinien in die Masse drücken. Bleiben diese erhalten, so ist die Mischung fest genug. Fügen Sie einen Teil Zement und Kalk sowie 5 Teile Sand zu, falls die Masse zu naß ist. Das überschüssige Wasser wird dann aufgesogen.

7 Die Masse trocknet nicht so schnell aus, wenn Sie sie mit der Rückseite der Schaufel zu einem ordentlichen Haufen auftürmen. Überprüfen Sie die Formbarkeit, indem Sie etwas Mörtel auf eine Kelle häufeln; er sollte ohne weiteres daran haften bleiben.

Betongemische

Verwenden Sie zur Herstellung von Beton ausschließlich Portland-Zement. Sie können groben Sand und Zuschlagstoffe getrennt oder als Fertigmischungen kaufen. Die maximale Größe der Zuschlagstoffe sollte 2 cm nicht überschreiten.

Mischen Sie einen Teil Zement mit 5 Teilen Zuschlagstoff, wenn Sie gemischte Zuschlagstoffe verwenden. Als Maß dient das Volumen der Stoffe.

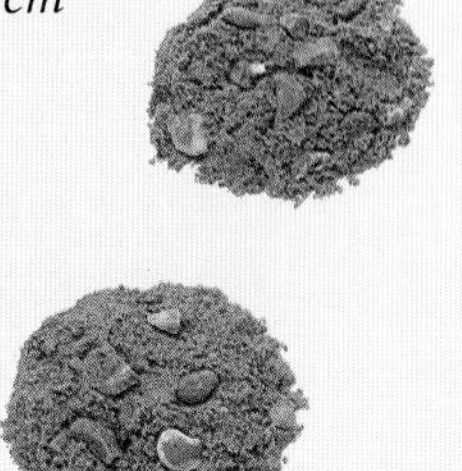

Gemischte Zuschlagstoffe (5 Teile) Portland-Zement (1 Teil)

Rechts: Fügen Sie Wasser unter das Gemisch, bis das Gemisch auf der Schaufel seine Form beibehält. Verwenden Sie 2 Teile Sand und 3 Teile Kies auf einem Teil Zement.

Grober Sand (2 Teile) Portland-Zement (1 Teil) Kies (2 cm) oder Schotter (3 Teile)

Plattenbeläge auf Mörtel

Platten kann man als Terrassen- oder Wegbelag gut auf einem Sandbett verlegen, als Fahrwegbelag ist Sand als Untergrund ungeeignet. Da eine gepflasterte Ausfahrt mehr Stabilität erfordert, muß der Mutterboden von der künftigen Wegefläche mindestens 15 cm abgehoben und anschließend ein 10 cm starkes Betonfundament gelegt werden. Sie können entweder fertige Betonmischungen verwenden oder ihn selbst aus einem Teil Zement und 5 Teilen Sand-Zuschlagstoff-Gemisch (2 cm hoch) zusammenstellen. Montieren Sie eine Holzverschalung um die Wegefläche, damit das Fundament rechteckige Ränder erhält. Stampfen Sie den Beton gut fest, legen Sie eine lange Setzlatte quer über die Verschalung und begradigen Sie damit die Oberfläche. Lassen Sie das Fundament an seiner Breitseite leicht abfallen, setzen Sie über die gesamte Breite mit einer senkrechten Hartfaserplatte Dehnungsfugen im Abstand von 3 m. Schützen Sie das Fundament mit einer Plastikfolie vor Regen. Lassen Sie das Ganze mindestens 3 Tage lang aushärten.

Kontrollieren Sie die Höhe und die Neigung mit Hilfe von Wasserwaage und Setzlatte.

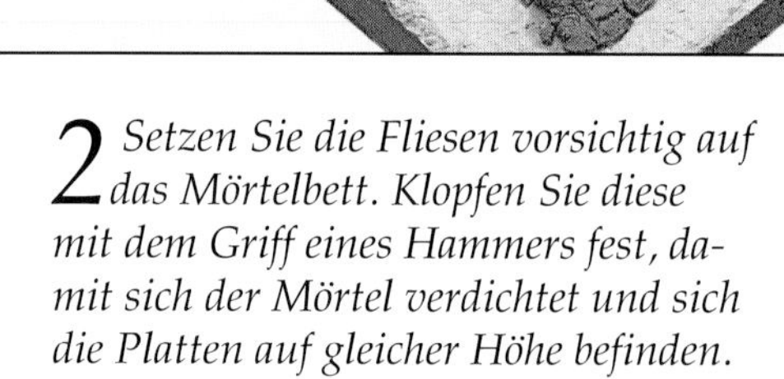

2 Setzen Sie die Fliesen vorsichtig auf das Mörtelbett. Klopfen Sie diese mit dem Griff eines Hammers fest, damit sich der Mörtel verdichtet und sich die Platten auf gleicher Höhe befinden.

Verwenden Sie eine weiche Mörtelmischung, da sich diese leichter unter den Platten verteilt.

1 Verlegen Sie die Platten auf ein angemessenes Mörtelbett. Tragen Sie hierzu den Mörtel entsprechend den Randabmessungen der Platten auf das Betonfundament auf. Bringen Sie zusätzlichen Mörtel in der Mitte unter jeder Platte an.

3 Nachdem Sie die Platten verlegt, festgeklopft und leicht geneigt haben, bringen Sie kleine hölzerne Abstandhalter dazwischen an, damit ein gleichmäßiger Abstand gewährleistet ist.

***Unten:** Man erhält grüne, mit Gras, Moos und Pflanzen bewachsene Fugen, wenn man zwischen den Platten einen größeren Abstand frei läßt und diesen anstelle von Mörtel mit Erde verfugt.*

4 Fahren Sie mit der Verlegearbeit fort, kontrollieren Sie die korrekte Neigung der Oberfläche. Klopfen Sie überstehende Platten bei Bedarf tiefer fest.

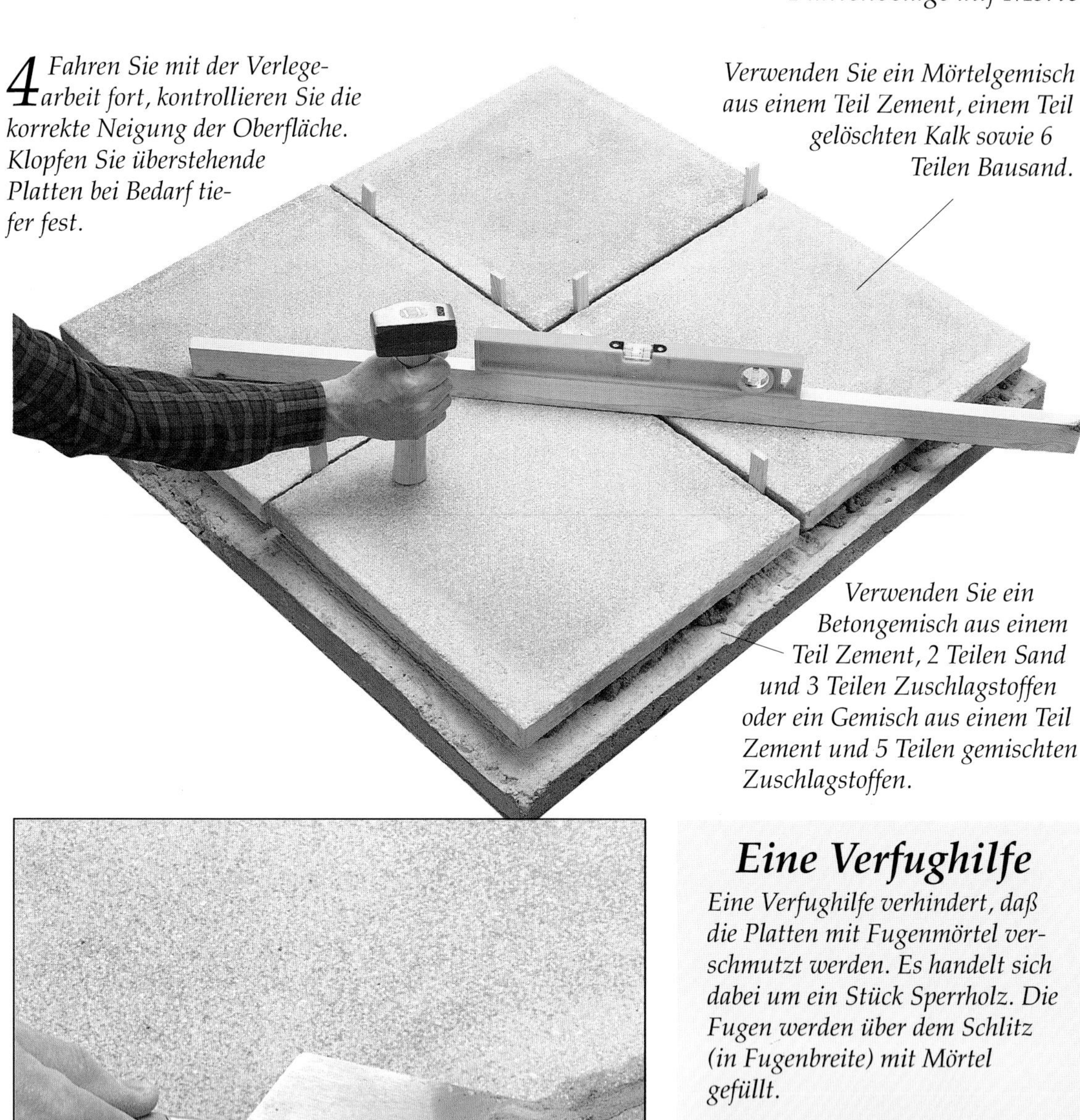

Verwenden Sie ein Mörtelgemisch aus einem Teil Zement, einem Teil gelöschten Kalk sowie 6 Teilen Bausand.

Verwenden Sie ein Betongemisch aus einem Teil Zement, 2 Teilen Sand und 3 Teilen Zuschlagstoffen oder ein Gemisch aus einem Teil Zement und 5 Teilen gemischten Zuschlagstoffen.

5 Entfernen Sie die hölzernen Abstandhalter erst, wenn alle Platten verlegt sind und sich auf gleicher Höhe befinden. Verfugen Sie die Platten mit einem relativ trockenen Gemisch.

Eine Verfughilfe

Eine Verfughilfe verhindert, daß die Platten mit Fugenmörtel verschmutzt werden. Es handelt sich dabei um ein Stück Sperrholz. Die Fugen werden über dem Schlitz (in Fugenbreite) mit Mörtel gefüllt.

Unregelmäßige Platten

Für unregelmäßige Plattenbeläge werden unterschiedlich geformte Steine verwendet und zu einem stabilen Belag für Fahr- und Fußwege sowie Terrassen verarbeitet. Dieser Belag ist kostengünstig, da hierfür gebrochenes Belagsmaterial verwendet wird, das ansonsten als Abfall anfallen würde. Die Zwischenräume werden mit Mörtel verfugt, der die Steine zu einem stabilen Belag verbindet. Eine vorhandene Betonoberfläche gibt ein ideales Fundament ab. Ein gut verdichtetes, grobes Betongemisch ist für weniger strapazierte Flächen, wie eine Terrasse oder einen Gartenweg, geeignet. Unregelmäßige Beläge können sehr reizvoll aussehen, sofern man die Stücke sorgfältig zusammenfügt und sauber verfugt. Interessante Wirkung kann man erzielen, wenn man unterschiedlich gefärbte und strukturierte Steine miteinander kombiniert oder die Steine mit Mörtel in einer kontrastierenden Farbe verfugt. Die Steinkanten müssen zunächst bearbeitet und einander angepaßt werden, anschließend werden die Steine einzeln verlegt, in das Mörtelbett gedrückt und mit der Wasserwaage auf gleiche Höhe gebracht. Beginnen Sie mit der Verlegearbeit am Rand der Fläche, verwenden Sie hierfür Steine mit einer geraden Kante, kontrollieren Sie mit einer langen, hölzernen Setzlatte immer wieder, ob sich sämtliche Steine auf einer Höhe befinden. Verlegen Sie die Steine bei Bedarf mit einer leichten Neigung, damit das Regenwasser abfließen kann.

1 Wichtig sind ein festes Betonfundament oder ein gut verdichteter Unterbau. Bringen Sie am Rand der Unterlage ein Mörtelbett an.

2 Verwenden Sie als Eckstücke einer quadratisch oder rechteckig gepflasterten Fläche große Steine mit zwei zueinander liegenden Kanten.

3 Verlegen Sie den Randstein und stampfen Sie ihn fest. Legen Sie sich beim Klopfen ein Holzbrett unter, um die Oberfläche zu schonen.

Kleine Steine eignen sich gut zum Füllen häßlicher Lücken.

Vorbereiten der Steine

Sortieren Sie die gelieferten Steine: Ecksteine mit zwei senkrecht zueinander liegenden geraden Kanten, Randsteine mit einer geraden Kante, unregelmäßig geformte Steine sowie kleinere Füllstücke.

***Rechts:** Legen Sie einen Stein zum Behauen zwischen zwei andere Steine und zerteilen Sie ihn mit einem Hammerschlag.*

4 Legen Sie einen Randstein neben den Eckstein in das Mörtelbett. Stampfen Sie ihn fest – beide Steine sollen auf einer Höhe liegen.

5 Führen Sie die Arbeit bis zum nächsten Eckstein an der gleichen Seite durch. Ordnen Sie große und kleinere Steinplatten in unregelmäßiger Reihung an.

6 Kontrollieren Sie mit Hilfe einer Wasserwaage und einer langen, hölzernen Setzlatte, ob die Steine waagrecht verlegt sind (oder eine leichte Neigung aufweisen).

Sehen Sie ein Gefälle von 1 bis 2 % weg von benachbarten Gebäuden oder entlang von freistehenden Fuß- oder Fahrwegen vor.

7 Lassen Sie das Mörtelbett über Nacht aushärten. Verfugen Sie den Belag. Ziehen Sie die Spitze der Maurerkelle durch die Fugenmasse.

***Unten:** Kies ist eine reizvolle, alternative Fugenmasse, falls die Steine groß sind oder nicht dicht aneinander liegen. In den Spalten gedeihen niedrige Pflanzen.*

Einfassungen, Fliesen und Platten

Bei der Gestaltung von Wegen oder Pflasterflächen müssen Sie sich nicht auf Standardbeläge und -einfassungen beschränken. Zu den Materialien, die sich in den letzten Jahren zunehmender Beliebtheit erfreuen, zählt Terrakotta, ein unglasiertes, rot-braunes Material, das aus Ton, feinem Sand und manchmal aus pulverisierten Töpfereiabfällen besteht. Es war das bevorzugte Material der viktorianischen Bauhandwerker und Gärtner und wird heutzutage zu schlichten Bodenplatten, Relieffliesen und einer Vielzahl an dekorativen Einfassungen, einschließlich der traditionellen viktorianischen Kordeleinfassung, verarbeitet. Sie können ausschließlich Terrakotta verwenden und damit einen auffälligen einfarbigen Akzent setzten oder es mit anderen Belags- und Einfassungsmaterialien kombinieren, um somit Flächen mit starken optischen Kontrasten herzustellen, wie zum Beispiel den Weg im Fischgrätmuster von Seite 27. Es empfiehlt sich, Terrakottaplatten und -fliesen auf einem durchgehenden Mörtelbett zu verlegen. Das Material ist weniger strapazierfähig als andere Belagsmaterialien und muß daher auf einer festen, stabilen Unterlage verlegt werden. Auch die Einfassungen und die passenden dekorativen Eckpfosten sollten in Mörtel gesetzt werden. Dieser sollte an sämtlichen Seiten abgeschrägt sein, damit das Belagsmaterial bis an die Einfassung hin verlegt werden kann und nur der dekorative Kordelteil sichtbar bleibt. Neben Terrakotta können auch frostfeste Keramikfliesen im Garten verwendet werden. Sie kommen am besten zur Geltung, wenn man sie sparsam einsetzt – zum Beispiel als „Farbtupfer“ und Blickfang zwischen anderen Belagsmaterialien. Sie dürfen diese nur auf einem festen, frostunempfindlichen Mörtel verlegen.

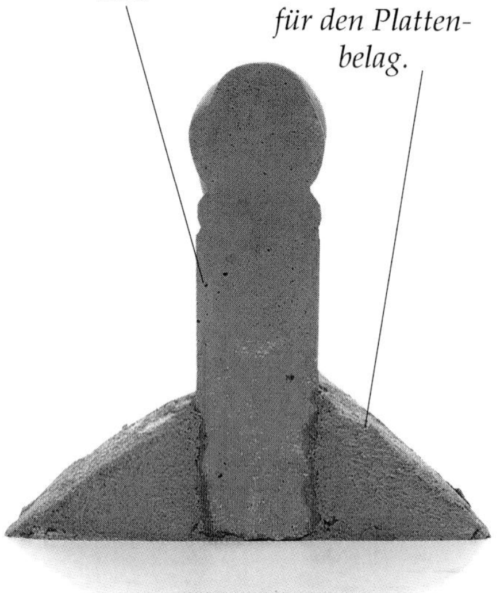

Oben: *Befestigen Sie die Terrakotta-Eckpfosten zu beiden Seiten mit einem Streifen Mörtel. Schrägen Sie ihn entsprechend der Abbildung ab.*

1 Plazieren Sie die Kordeleinfassung und die passenden Eckpfosten. Verlegen Sie zuerst die Eckfliese, setzen Sie weitere Fliesen auf das Mörtelbett.

2 Verlegen Sie einige Fliesen auf beiden Seiten. Überprüfen Sie mit einer Wasserwaage, ob die Fliesen waagrecht erscheinen.

3 Hier werden schlichte Terrrakottafliesen von dekorativen Fliesen der geviertelten Größe eingefaßt. Legen Sie die Platten auf das Mörtelbett und klopfen Sie diese fest.

Teilen von Platten

1 Ritzen Sie eine tiefe Trennlinie in die Oberfläche. Sie erhalten eine gerade Linie, wenn Sie den Setzer an den Rand einer Setzlatte anlegen.

2 Zerteilen Sie die Platte mit einem Setzer und einem Hammer. Klopfen Sie den Setzer bis die Platte auseinanderbricht.

Links: *Die traditionelle Kordeleinfassung paßt perfekt zu diesem gekrümmten Weg. Farblich stellt sie einen Gegensatz zu den grauen Pflastersteinen dar.*

Unten: *Blaue Keramikfliesen wirken als Farbtupfer in diesem Ziegelweg, der zusätzlich mit Stücken von Pflasterplatten durchsetzt ist.*

Verwenden Sie festen Mörtel – einen Teil Zement auf 3 oder 4 Teilen Sand sowie zusätzlich Weichmacher –, um die Einfassung zu verlegen.

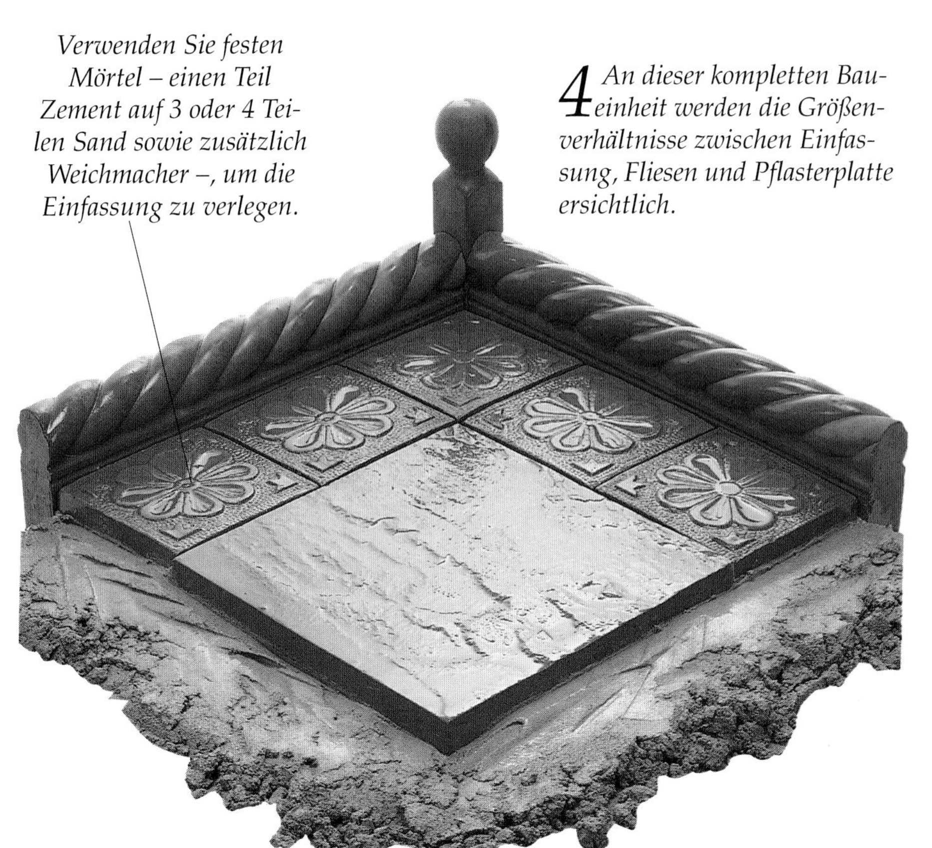

4 An dieser kompletten Baueinheit werden die Größenverhältnisse zwischen Einfassung, Fliesen und Pflasterplatte ersichtlich.

Kiesel und Kopfsteinpflaster

Mit runden Kieselsteinen und Kopfsteinpflaster lassen sich unterschiedliche Strukturen beim Pflasterbelag ins Spiel bringen. Man kann mit ihnen Wege und Terrassen gestalten, sehr viel häufiger werden sie jedoch als optische Blickfänge auf ebenen Flächen verwendet – zum Beispiel um einen Weg einzufassen oder ein Gartenelement hervorzuheben. Im Gegensatz zu anderen Belagsmaterialien für den Garten sind diese Steine verhältnismäßig klein, was den Vorteil hat, daß sie an gekrümmte Verläufe oder unregelmäßig geformte Hindernisse angepaßt werden können. Auf der anderen Seite nimmt jedoch das Verlegen wesentlich mehr Zeit in Anspruch als bei anderen Materialien. Kieselsteine und Kopfsteinpflaster sind in Baumärkten in vielen verschiedenen Farben und Formen erhältlich. In der Regel werden kleine Mengen abgepackt verkauft, für größere Flächen ist es hingegen vorteilhafter, die Steine offen nach Gewicht zu kaufen. Man sollte Kiesel und Pflastersteine am besten auf einem Mörtelbett verlegen, insbesondere wenn es sich um begehbare Flächen handelt oder die Steine als Auskleidung für einen Wasserlauf oder als Einfassung für einen Brunnen dienen sollen.

In eher dekorativen Abschnitten innerhalb von Blumenbeeten kann man die Steine hingegen locker verlegen. Lockere Kiesel erfüllen darüber hinaus auch einen praktischen Zweck: In dauerhaft schattigen Bereichen des Gartens unterbinden sie das Wachstum von Unkraut und verhindern ein Auswaschen der Erde.

1 *Sie können einen Kieselweg mit einer Einfassung aus Ziegel- oder Granitsteinen besser abheben. Verlegen Sie die Steine auf einem großzügigen Mörtelbett.*

Links: *Auf Mörtel verlegtes Kopfsteinpflaster bilden eine kontrastierende Einfassung zu einem Weg aus Granitsteinen. Erde wird allmählich die Spalten füllen und die Auflagefläche verdecken.*

Rechts: *Ein Sortiment unterschiedlich gefärbter Kieselsteine kann reizvolle optische Effekte erzeugen.*

2 Verlegen Sie nun die Kieselsteine auf dem Mörtelbett, so daß sie dicht an die Einfassung und die Nachbarsteine stoßen. Stimmen Sie Größe und Farbkontraste der Nachbarsteine aufeinander ab.

3 Fahren Sie mit der Verlegearbeit fort und stampfen Sie die Kieselsteine anschließend mit einem Holzstück und einem Hammer im Mörtelbett fest. Es muß sichergestellt sein, daß sich die Steine nachträglich nicht lockern können.

4 Überprüfen Sie mit Hilfe einer hölzernen Setzlatte und einer Wasserwaage den annähernd waagrechten Verlauf der Steine. Stampfen Sie stark hervorstehende Steine nachträglich fest.

***Oben:** Bei diesem Kieselweg wurden kleine Kieselsteine auf einem Mörtelbett verlegt und von einer Einfassung aus kleinen, quadratischen Pflastersteinen begrenzt.*

Grenzen Sie einen Kieselweg mit Ziegel- oder Pflastersteinen deutlich ab.

5 Wasser verstärkt die Oberflächenbeschaffenheit von Kieselsteinen enorm. Diese Wirkung wurde mit einem silikonhaltigen Dichtungsmittel für Mauerwerk erreicht.

Verlegen eines Kiesweges

Ein mit Kies gestalteter Weg oder ein anderer Bereich kann in jedem Garten reizvoll wirken, insbesondere wenn damit Kontraste neben ebenen Belagsmaterialien erzeugt werden sollen. Richtiger Kies besteht aus kleinen, abgerundeten Kieselsteinen. Er ist in vielen gemischten, natürlichen Erdtönen erhältlich und sieht im nassen Zustand besonders gut aus. Sie können aber auch Bruchsteine verwenden. Sie sind nicht abgerundet, sondern kantig und in vielen verschiedenen Farbtönen erhältlich; die Färbungen reichen von weiß bis rot sowie von grün bis grau zu schwarz.

Wenngleich beide Materialien interessant aussehen können und kostengünstig zu verlegen sind, haben sie in praktischer Hinsicht einige Nachteile. Als Abgrenzung gegen die anschließende Rasen- oder Pflanzfläche ist eine Randbefestigung in Form von Bandeisen oder Holzlatten, die mit Pflöcken befestigt sind, erforderlich. Damit die Wege gut aussehen, müssen sie regelmäßig gerecht und von Unkraut befreit werden. Besonderer Beliebtheit erfreuen sich diese Wege bei Hunden und Katzen, da diese darin eine ideale „Toilette" sehen. Wenn Sie sich dennoch für Kies als Belagsmaterial entschieden haben, müssen Sie sich als erstes Gedanken über die benötigte Menge machen. Dekorative Gebinde werden in kleinen, abgepackten, zwischen 25 und 50 kg schweren Beuteln angeboten. Man kann sich die Steine auch nach Volumen direkt anliefern lassen. Mit Ausnahme sehr kleiner Bereiche muß man sich das Material nach Hause kommen lassen. 1 m^3 Kies wiegt ungefähr 1,7 Tonnen – das ist ausreichend für eine 13 m^2 große, 8 cm tiefe Fläche.

3 Damit später kein Unkraut durch den Kiesweg wachsen kann, legt man am besten eine durchlässige Membran auf den Untergrund.

1 Heben Sie den Boden unter dem späteren Kiesweg aus, bis Sie auf festen Untergrund stoßen. Fassen Sie den Rand mit Holzlatten ein und befestigen Sie diese an den Kanten mit stabilen Holzpflöcken.

2 Nageln Sie die Holzlatten an die Pflöcke. Bringen Sie zusätzliche Holzpflöcke im Abstand von jeweils 1 m entlang der Holzlatten an.

4 Bedecken Sie die Membran mit einer Schicht Bruchsteine, damit Sie ein festes Fundament erhalten. Auf festem Untergrund muß diese Schicht mindestens 5 cm hoch sein.

5 Verdichten Sie die Schicht, indem Sie mit einer Walze darüber rollen. Walzen Sie so lange, bis die Oberfläche ohne Spuren ist.

6 Verteilen Sie den Kies oder die Ziersteine auf die verdichtete Unterschicht. Füllen Sie die Fläche bis zur Oberkante der Randeinfassung auf.

Harmonische Kombinationen

Sie können Platten oder Pflastersteine mit Kies oder Bruchsteinen kombinieren, um interessante Muster zu erzeugen.

7 Begradigen Sie den Kies mit einem Rechen. Ziehen Sie eine hölzerne Setzlatte über die Randeinfassung. Rechen Sie erneut.

Rechts: Bringen Sie Stufen auf dem Abhang, sowie vorne und seitlich mit Holzpflöcken befestigte Latten an. Füllen Sie anschließend Kies auf.

Gestalten mit Kies

Unterschätzen Sie nicht die Vielseitigkeit von Kies, wenn es darum geht, Ihrem Garten ein natürliches Aussehen zu verleihen. Kies ist beispielsweise eine ideale Alternative zu Gras für schmale Wege und unregelmäßig bepflanzte Bereiche, in denen die Pflege von Gras Schwierigkeiten bereiten kann. Kies stellt einen ansprechenden Kontrast zu niedrig wachsenden Pflanzen dar, zudem kann er zusammen mit anderen Belagsmaterialien kombiniert werden. Bereiche mit Kies sind vor allem in orientalisch gestalteten Gärten ein besonders beliebtes Element. Hier wird das Material großzügig eingesetzt, um mit großen Steinen geschmückte Bereiche zu gestalten. Schließlich wird der Kies mit einem Rechen so geformt, daß er Wellen oder Wogen ähnelt. Das Ergebnis wirkt für das Auge beruhigend, zudem kann es ganz nach Belieben mit einigen Rechenstrichen leicht wieder verändert werden. Für unser Beispiel wurden einheitlich gefärbte Steine verwendet – Sie können zu jedem anderen Zweck auf die große Vielfalt an Kies und Bruchsteinen zurückgreifen, die in Baumärkten angeboten werden. Sie sind in vielen verschiedenen Farben erhältlich, angefangen von glitzerndem Weiß bis hin zu Schiefergrün, Sandsteinfarben und Tiefschwarz. Besonders auffällig sehen die Steine im nassen Zustand aus.

Oben: *In asiatisch gestalteten Gärten wird feiner Kies in Wellen- und Wogenform mit einem Rechen angeordnet. Einen reizvollen Gegensatz stellen große Steine und Bereiche mit kleineren Kieselsteinen dar.*

Rechts: *Ein schlichter Kiesweg ist die ideale Ergänzung zu einem Bauergarten, in dem Blumen und Stauden ungehindert über den Wegrand wuchern dürfen*

Rechts: *Kurze, imprägnierte Rundhölzer dienen als Randeinfassung für den Kies. Sie werden in den Boden eingelassen und können in vielen dekorativen Mustern angeordnet werden.*

Unten: *Dieser Kiesweg schlängelt sich zwischen ordentlich beschnittenen Heuchera-Reihen hindurch.*

Oben: *Im Laufe der Zeit „wandert" Kies in angrenzende Rasen- und Pflanzflächen. Es empfiehlt sich daher, die Kiesfläche mit festen Materialien einzufassen und die Plattenzwischenräume regelmäßig aufzufüllen.*

Holzroste

Holzroste sind sowohl in formal als auch in nicht symmetrisch gestalteten Gärten eine natürliche Alternative. Holzroste lassen sich einfacher zurechtschneiden als Platten oder Pflastersteine, sie gleichen sich durch den Verwitterungsprozeß harmonisch an ihre Umgebung an, zudem kann man angenehmer darauf laufen oder sitzen als auf harten Belägen. Die einzigen Nachteile von Holzrosten bestehen darin, daß sie gelegentlich einige Wartungsarbeiten erfordern und bei feuchtem Wetter rutschig und dadurch gefährlich werden. Sämtliche zugesägten Trägerbalken und vorgesehenen Bretter müssen unbedingt mit einem Holzschutzmittel vorbehandelt werden. Besondere Beachtung sollte man dabei allen Schnittkanten schenken, die während des Zuschneidens angefallen sind. Setzen Sie die Trägerbalken auf Ziegelsteine, damit der Holzrost nicht auf dem feuchtem Untergrund aufliegt und keine Fäulnis entstehen kann. Im Idealfall sollte zwischen Ziegelsteinen und Balken noch ein Polster aus einer verrottungsfesten Membran oder Dachpappe angebracht werden. Reinigen Sie den Untergrund unter der Rostfläche und tragen Sie ein Unkrautvernichtungsmittel mit Langzeitwirkung auf.

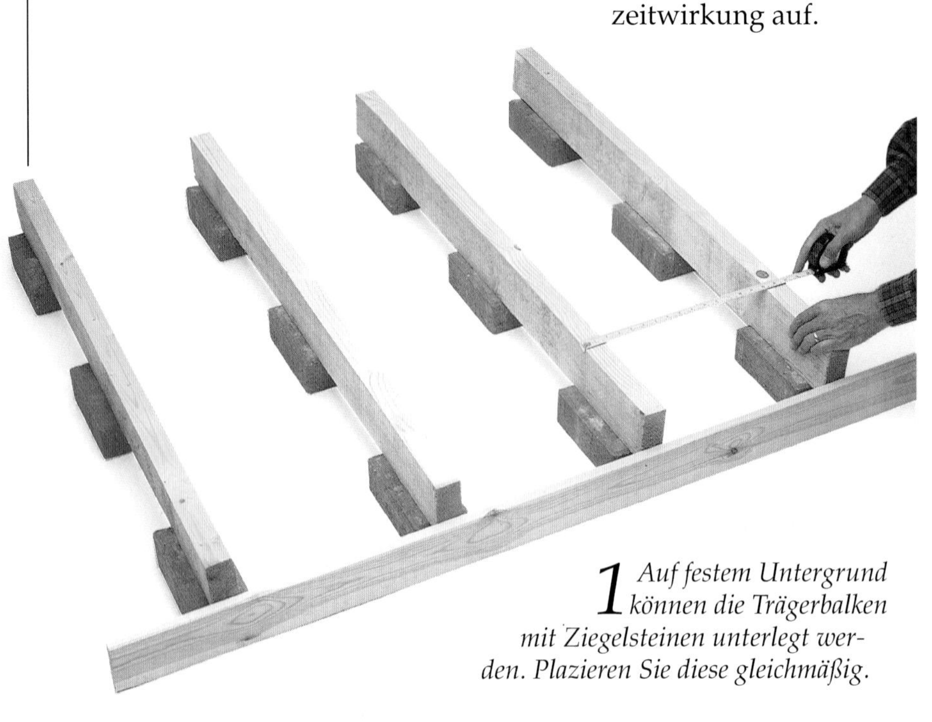

1 Auf festem Untergrund können die Trägerbalken mit Ziegelsteinen unterlegt werden. Plazieren Sie diese gleichmäßig.

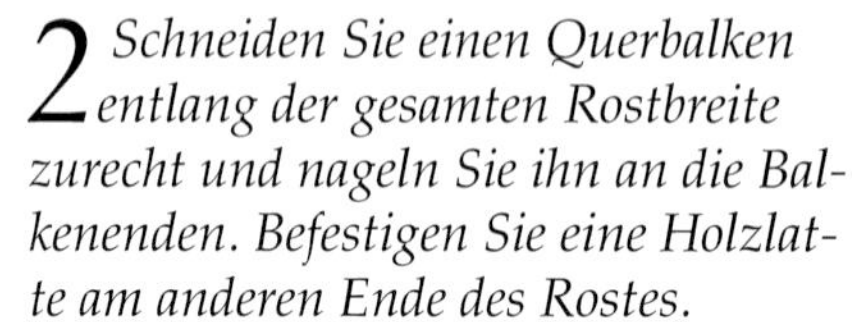

2 Schneiden Sie einen Querbalken entlang der gesamten Rostbreite zurecht und nageln Sie ihn an die Balkenenden. Befestigen Sie eine Holzlatte am anderen Ende des Rostes.

3 Legen Sie das erste Brett quer auf die Unterkonstruktion. Die Vorderkante sollte über den Querbalken überstehen. Befestigen Sie das Brett mit Nägeln an den Trägerbalken.

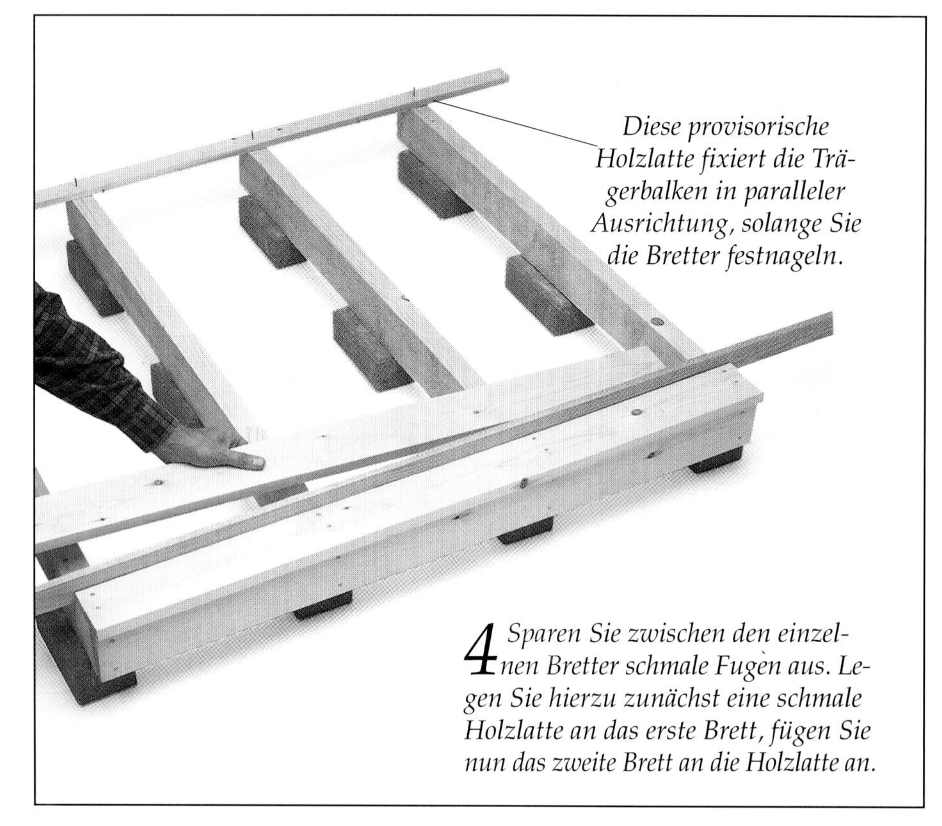

Diese provisorische Holzlatte fixiert die Trägerbalken in paralleler Ausrichtung, solange Sie die Bretter festnageln.

4 Sparen Sie zwischen den einzelnen Bretter schmale Fugen aus. Legen Sie hierzu zunächst eine schmale Holzlatte an das erste Brett, fügen Sie nun das zweite Brett an die Holzlatte an.

5 Nageln Sie jedes Brett mit je zwei verzinkten Nägeln an sämtliche Trägerbalken an. Sie können eine gespannte Schnur verwenden, um die Nagelköpfe gerade auf der Rostfläche auszurichten.

6 Der fertige Holzrost ist schon für sich allein ein reizvolles Element. Hinsichtlich Größe und Form der Holzfläche bestehen keinerlei Einschränkungen.

Es empfiehlt sich, den Holzrost am Rand mit einer Holzlatte einzufassen, falls die Fläche zum Sitzen vorgesehen ist. Man verhindert auf diese Weise ein versehentliches Herunterrutschen der Stühle.

***Oben:** Mit Holzrosten kann man beliebig große Bereiche belegen. Hier wurden die Bretter schräg zur Hauswand verlegt. Eine niedrige Stufe, die zum darunterliegenden Kiesweg führt, überbrückt den sanften Abhang.*

***Oben:** Fügen Sie die Bretter bei Bedarf stumpf über der Mittellinie der Trägerbalken zusammen.*

***Oben:** Behandeln Sie den Holzrost mit einem Imprägniermittel, um Verrottung und Insektenbefall vorzubeugen.*

Setzen Sie den Holzrost auf im Untergrund versenkte Ziegel- oder Pflastersteine. Verkleiden Sie die Unterlagen mit Kieselsteinen oder niedrigen Pflanzen.

Noch mehr Holzroste

Da sich Holz in jeder Größe und Form problemlos zuschneiden läßt, lassen sich damit alle erdenklichen Entwürfe realisieren. Planen Sie zunächst den Entwurf sorgfältig auf Papier, beziehen Sie in Ihre Überlegungen die Fugenbreite mit ein, so daß die vorgesehene Fläche mit einem vielfachen Ganzen an Brettern bestückt werden kann. Sie können Rauten- oder Zickzackmuster erzeugen, indem Sie die Bretter in angrenzende Bereiche des Holzrostes in unterschiedliche Richtungen verlegen. Achten Sie darauf, daß sich an den Schnittkanten keine Holzsplitter befinden, und glätten Sie die Oberfläche mit Schmirgelpapier. Nur so sind nackte Füße im Sommer vor Verletzungen geschützt. Treffen Sie weiterhin Vorsichtsmaßnahmen am Rand des Holzrostes und befestigen Sie Kanthölzer entlang des gesamten Randes.

1 Verwenden Sie als Trägerbalken imprägnierte, zugeschnittene Weichhölzer. Ordnen Sie diese gleichmäßig an, nageln Sie zur Stabilisierung einen Querbalken an die Enden.

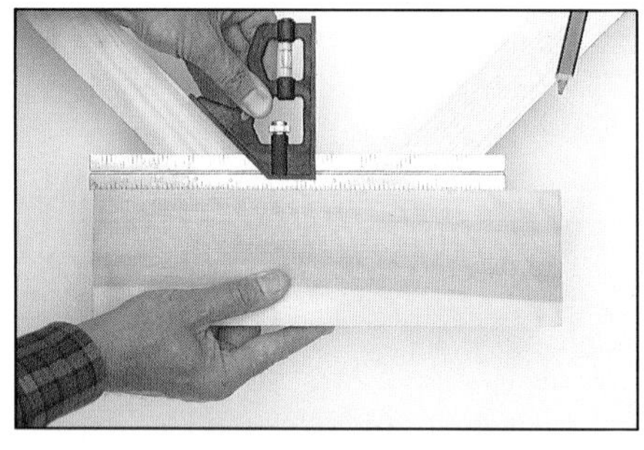

2 Ordnen Sie die Bretter mit einem Kombinationswinkel in 45°-Position an. Plazieren Sie das erste Brett in einer Ecke der Unterkonstruktion.

3 Richten Sie zunächst das erste Brett sorgfältig aus, entfernen Sie anschließend den Winkel und markieren Sie die Lage des Brettes auf den Balken mit einem Stift.

4 Markieren Sie nun eine Richtlinie auf dem Brett, die in der Mitte des darunter liegenden Trägerbalkens verlaufen soll. Kombinationswinkel in 45°-Winkel benutzen.

5 Nageln Sie das erste Brett fest. Bringen Sie den ersten Nagel möglichst nahe am Eck an, kontrollieren Sie übereinstimmende Ausrichtung von Brett und Bleistiftlinie und befestigen Sie das Brett mit zwei weiteren Nägeln.

6 Verwenden Sie als Abstandhalter eine schmale Holzlatte, damit Sie auf der gesamte Holzrostfläche eine einheitliche Fugenbreite erhalten. Legen Sie das zweite Brett an.

7 Wiederholen Sie das Ausmessen mit Kombinationswinkel und Bleistift, damit sämtliche Nägel zur Befestigung der Bretter in einer Linie ausgerichtet sind.

Ein Kombinationswinkel (oder ein verstellbarer Richtscheit) ist ein hervorragendes Werkzeug, um Winkel zu überprüfen und zu markieren.

8 Nehmen Sie den Abstandhalter zu Hilfe, legen Sie die nachfolgenden Bretter an und nageln Sie diese hintereinander an den Trägerbalken fest.

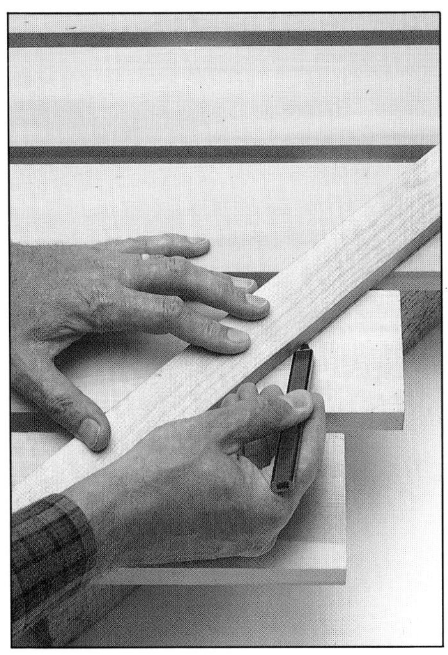

9 Nageln Sie sämtliche Bretter an den Trägerbalken fest. Legen Sie eine Setzlatte auf die überstehenden Enden und zeichnen Sie eine Schnittlinie über sämtliche Bretter ein.

10 Entfernen Sie die überstehenden Bretterenden mit einer Laubsäge. Sägen Sie nur an der äußeren Seite der Schnittlinie.

11 Schmirgeln Sie sämtliche Schnittkanten ab. Befestigen Sie Holzlatten am Rand, damit der Holzrost einen sauberen Abschluß erhält. Dies schützt die freiliegenden Endstücke vor Verrottung und Beschädigungen.

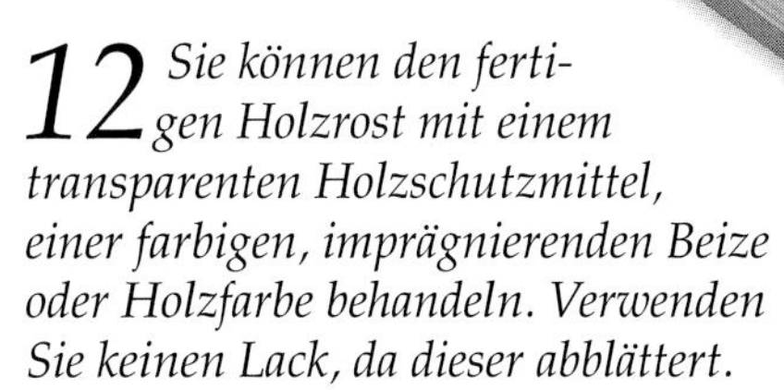

12 Sie können den fertigen Holzrost mit einem transparenten Holzschutzmittel, einer farbigen, imprägnierenden Beize oder Holzfarbe behandeln. Verwenden Sie keinen Lack, da dieser abblättert.

Gartendecks

Holz ist ein Material, das Ihrer Phantasie beim Anlegen von Gehwegen und Sitzflächen keinerlei Beschränkungen auferlegt. Im Gegensatz zu Mauerwerk ist Holz einfach zu handhaben und läßt sich problemlos und mit gängigen Werkzeugen bearbeiten. Ein Holzweg inmitten einer blühenden Rabatte wirkt natürlich und fügt sich harmonisch in ein Bepflanzungsschema ein. Ein gepflasterter Weg als Alternative wäre sicherlich weniger ansprechend. Man kann die vorgesehenen Projekte an Ort und Stelle im großen Rahmen bauen oder aber aus kleineren Einheiten in der Werkstatt zusammensetzen und erst im Garten aufstellen und bei Bedarf wieder abbauen. Wenn Sie sich jedoch dafür entschieden haben, müssen Sie sich stets zwei Grundregeln vor Augen halten. Erstens: Sämtliche Hölzer, die ständigen Kontakt zum Untergrund haben, müssen entweder von Natur aus widerstandsfähig sein oder andernfalls gründlich mit Holzschutzmittel vorbehandelt werden, um Verrottung und Insektenbefall unter Kontrolle zu halten. Zweitens: Da Holz mit Mosen und Algen besiedelt wird, kann es bei Feuchtigkeit rutschig werden. Stellen Sie sich also darauf ein, daß die Holzoberfläche ein- oder zweimal pro Jahr gründlich abgeschrubbt werden muß, wenn ein sicheres Begehen und ein gutes Aussehen gewährleistet sein sollen.

Rechts: *Dieses halbkreisförmige Holzdeck besteht aus freilandtauglichen Sperrholzlatten. Die Fugen verlaufen sternförmig nach außen.*

Links: *Vorgefertigte, imprägnierte, quadratische Holzroste mit einer rutschfesten, gerillten Oberfläche können direkt auf den Untergrund verlegt werden. Sie fügen sich harmonisch in eine zwanglos bepflanzte Rabatte.*

Oben: *Sie können sämtliche stabilen Bauhölzer aus dem Wohnbereich verwerten und zum Bau eines Gartenweges verwenden.*

Links: *Ein maßgeschneiderter Holzsteg ist ein idealer Aussichtspunkt, um Fische zu beobachten. Die Unterkonstruktion liegt auf Pfeilern auf.*

Holzrostplatten

Im Handel sind kleine, vorgefertigte Holzrostplatten erhältlich, die aus imprägniertem Weichholz hergestellt sind. Man verlegt die Platten auf einer Unterkonstruktion.

Unten: *Holzrostplatten bestehen aus Leisten, die an zwei Querhölzern befestigt sind.*

1 Bauen Sie aus imprägnierten Balken eine Unterkonstruktion. Bemessen Sie den Balkenabstand so, daß die Platten später auf der Mittellinie der Balken zu liegen kommen. Beginnen sie mit dem Verlegen.

2 Befestigen Sie die Platten mit Nägeln an den darunterliegenden Balken. Die Befestigung ist „unsichtbar", wenn Sie die Schrauben in den Fugen zwischen den Leisten anbringen.

3 Hier wurden sämtliche Platten mit einheitlich ausgerichteten Leisten verlegt.

Links: *Ein Schachbrettmuster entsteht, wenn man benachbarte Platten im 90°-Winkel versetzt anordnet.*

Bau einer Ziegelmauer

Die meisten Gärtner wählen Ziegelsteine für Bauprojekte im Freiland aus. Ziegelsteine sind billig und überall erhältlich. Dies erleichtert zum einen den Bau von Gartenelementen, die auf das Mauerwerk des Hauses abgestimmt sind. Auf der anderen Seite kann man damit auch Kontraste im Garten setzen, indem man ein abweichendes Farbschema wählt. Bei der Auswahl der Ziegelsteine sollte man neben dem Aussehen noch zwei Punkte berücksichtigen: die Qualität und die Sorte. Da im Garten verwendete Ziegel natürlich wetterfest sein müssen, sollten Sie sich auf jeden Fall für den Kauf von gewöhnlichen Qualitätsziegeln oder einer hochwertigen Qualität entscheiden. Erstgenannte sind zwar ausreichend strapazierfähig für die meisten Vorhaben, man darf sie jedoch nicht extremen Witterungsverhältnissen aussetzen. Aus diesem Grund sollte man sie nicht als Abschlußreihe einer freistehenden Mauer einsetzen. Hinsichtlich der Sorten unterscheidet man gewöhnlichen Ziegel von Blendstein. Gewöhnliche Ziegel können an Stellen eingesetzt werden, an denen das Aussehen von untergeordneter Bedeutung ist. Blendsteine sollte man hingegen bei Vorhaben verwenden, bei denen das Aussehen ebenso wichtig ist wie die Ausführung der Arbeit.

1 Die meisten Ziegelmauern im Garten werden Ecken aufweisen. Zeichnen Sie die Baulinie mit Kreide auf das Fundament, markieren Sie an jeder Ecke einen exakten rechten Winkel.

Das betonierte Fundament sollte zuletzt doppelt so breit wie die Mauer sein.

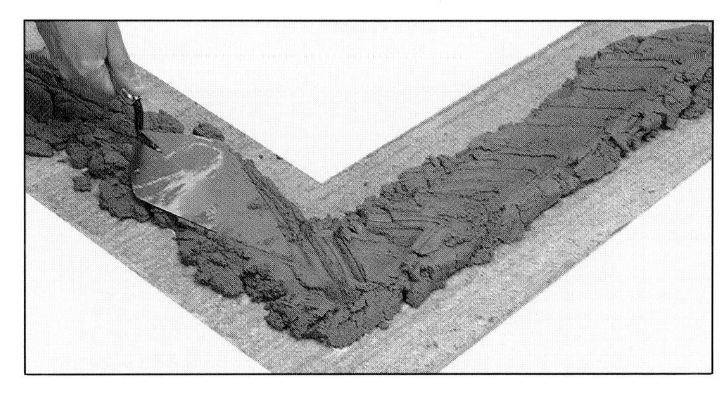

2 Verwenden Sie ein Gemisch aus 1 Teil Zement, 1 Teil Kalk oder flüssigem Weichmacher sowie 5 Teilen Bausand. Tragen Sie das Mörtelbett auf das Fundament auf.

3 Setzen Sie den ersten Ziegelstein auf das Mörtelbett. Stampfen Sie ihn fest und überprüfen Sie, ob der Ziegel waagrecht verlegt ist.

4 Bestreichen Sie jeweils das Ende der nachfolgenden Ziegel vor dem Verlegen mit einer Kelle voller Mörtel. Auf diese Weise wird eine Verbindung zum bereits verlegten Ziegel hergestellt, gleichzeitig entsteht eine Mörtelfuge.

5 Legen Sie zum Mauern einer Ecke im Läuferverband den zweiten Ziegel im rechten Winkel an den ersten an.

Gespannte Schnurlinien sind eine wertvolle Hilfe beim Verlegen der ersten Ziegelreihe. Aus Gründen der besseren Übersicht wurde hier jedoch darauf verzichtet.

6 Fahren Sie mit dem Verlegen in Längsrichtung fort. Legen Sie den ersten Stein der zweiten Reihe quer auf den darunterliegenden Eckziegel.

Herstellen eines Winkels

Ein Bauwinkel ist eine wertvolle Hilfe zum exakten Setzen rechter Winkel. Er läßt sich einfach herstellen, indem man ein Dreieck aus einem Stück Furnierholz sägt. Der Winkel ist um so genauer, je größer er ist.

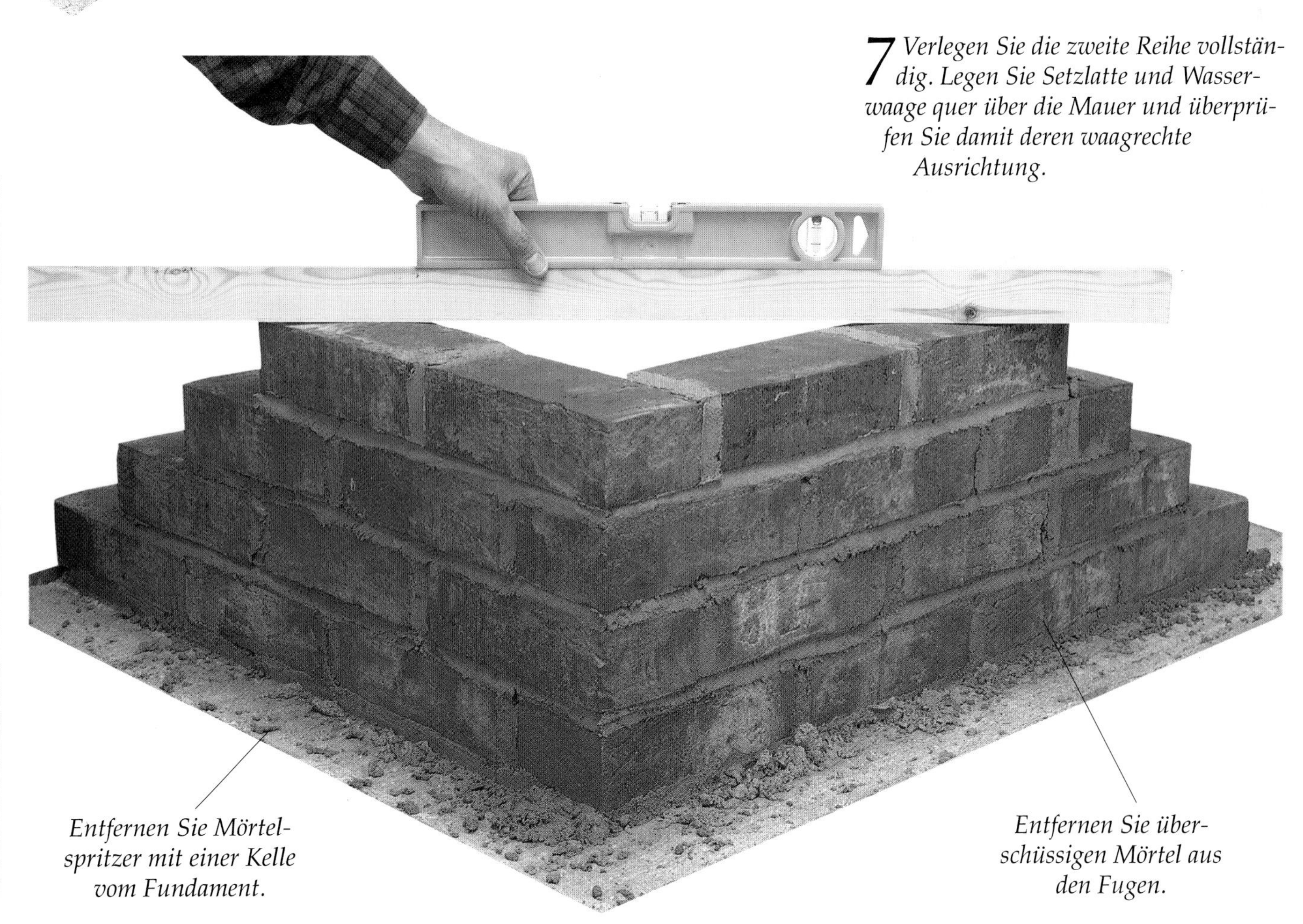

7 Verlegen Sie die zweite Reihe vollständig. Legen Sie Setzlatte und Wasserwaage quer über die Mauer und überprüfen Sie damit deren waagrechte Ausrichtung.

Entfernen Sie Mörtelspritzer mit einer Kelle vom Fundament.

Entfernen Sie überschüssigen Mörtel aus den Fugen.

Bau einer Ziegelmauer

Das Verlegen von Ziegeln ist mit ein wenig Übung einfach zu bewerkstelligen. Die Aufgabe besteht darin, die Ziegel mit gleichmäßigem Abstand und im richtigen Winkel auf der gesamten Mauer anzuordnen. Eine Wasserwaage ist dabei ein wertvolles Werkzeug. Jeder unentdeckte, noch so kleine Fehler hat zur Folge, daß die gesamte Mauerstruktur nicht mehr in einer Linie verläuft. Eine einheitliche Dicke der waagrecht verlaufenden Fugen läßt sich am einfachsten einhalten, wenn man einen selbstgefertigten Eichstab verwendet, auf dem die Höhe der Ziegel und der Fugen aufgezeichnet werden. Legen Sie diesen jedesmal senkrecht an die Vorderseite der Mauer an, wenn Sie eine Ziegelreihe verlegt haben. Mit Hilfe dieses Eichstabes kann man kontrollieren, ob sich alle Stirnseiten der Ziegel in einer Reihe befinden. Setzen Sie die Technik des stufenartigen Verlegens ein, damit auch die senkrechten Fugen den gleichen Abstand erhalten: Hierbei werden die Mauerenden und -ecken als Stufen verlegt. Legen Sie anschließend eine Setzlatte parallel an die Schräge und überprüfen Sie, ob sich sämtliche Ziegelkanten in einer Linie befinden und somit sämtliche Fugen die gleiche Höhe aufweisen. Füllen Sie die fehlenden Ziegel in jeder Reihe auf, sobald Sie die Enden und Ecken bis zur endgültigen Mauerhöhe gebaut haben. Verwenden Sie hierfür jene Ziegel, die Sie als Hilfe für die gerade Linienführung und die Höhe verlegt haben. Entfernen Sie überschüssigen Mörtel aus den Fugen und streichen Sie diese glatt.

1 Halten Sie während der Maurerarbeiten den Eichstab senkrecht an die Vorderseite der Mauer, um die gleichmäßige Höhe der Fugen zu überprüfen.

Kontrollieren Sie mit dem Eichstab, ob sich die Ziegelkanten in einer Linie befinden.

2 Beginnen Sie mit dem Verlegen einer neuen Reihe stets in der Ecke. Setzen Sie den Eckziegel auf das Mörtelbett und kontrollieren Sie die waagrechte Ausrichtung.

Herstellen eines Eichstabes

Professionelle Maurer können problemlos eine einheitliche Fugendicke einhalten, während dies dem Laien einige Sorgen bereitet. Ein einfacher Eichstab kann eine wertvolle Hilfe beim Einhalten gleichmäßiger Fugen sein.

1 Ordnen Sie eine Reihe Ziegel im Abstand von 1 cm an. Mit Hilfe einer geraden Holzlatte zeichnen Sie die Lage aller Fugen an.

2 Ziehen Sie diese Markierung quer über die gesamte Holzlatte sowie über eine Ecke hinaus weiter.

3 Setzen Sie die Ziegel in den Mörtel und drücken Sie diese fest. Entfernen Sie überschüssigen Mörtel auf beiden Seiten der Mauer mit einer Kelle aus den Fugen. Halten Sie den Arbeitsplatz sauber und entfernen Sie Mörtelspritzer.

Halten Sie die Kelle mit der Klinge flach an die Mauer, wenn Sie den Mörtel entfernen.

4 Verlegen Sie zwischen vier und sechs Reihen vollständig. Verfugen Sie das Mauerwerk sauber. Formen Sie mit der Kelle eine abgeschrägte Fuge.

Oben: *Überprüfen Sie mit einer Setzlatte, ob sich sämtliche Ziegelkanten an den in einer Linie befinden. Alle senkrechten Fugen sollten die gleiche Höhe aufweisen.*

Am Mauerende schließt jede versetzte Reihe mit einem halben Ziegel ab.

5 Die fertige Ecke gleicht einer Stufenpyramide. Mauern Sie die andere Ecke bzw. das Mauerende auf die gleiche Weise. Bauen Sie nacheinander sämtliche Reihen, beginnen Sie mit dem Eckziegel und verwenden Sie nach Belieben eine gespannte Schnur als Richtlinie.

Achten Sie darauf, die untere Fuge auch sauber zu verfugen.

ENGLISCHER MAUERVERBAND
Bei diesem Mauerverband werden die Reihen abwechselnd als Binder- und Läuferschichten verlegt: die Ziegel in einer Reihen mit der Längsseite und in der nächsten Reihe mit der Querseite nach außen legen.

Läuferschicht

ENGLISCHER VERBAND – SCHICHT A
Verlegen Sie einen Abschnitt als Läuferschicht und den versetzten Abschnitt als Binderschicht, wenn die Mauer eine Ecke aufweist. Neben dem Eckstein sollte man zusätzlich ein Riemchen – einen längs halbierten Ziegel – in die Binderschicht einfügen.

Riemchen oder alternativ zwei Viertelsteine

Binderschicht

ENGLISCHER VERBAND – SCHICHT B
Die zweite Reihe ist das genaue Spiegelbild der ersten Reihe, wobei die Läuferschicht über der Binderschicht der ersten Reihe liegt und umgekehrt. Setzen Sie an der Ecke wiederum ein Riemchen ein.

Rechts: *Die abwechselnden Binder- und Läuferschichten sind deutlich erkennbar.*

Mauerverbände

Die Stabilität einer Mauer hängt vom Grad der Verzahnung der einzelnen Ziegelreihen ab, der als Verband bezeichnet wird. Der einfachste Mauerverband ist der Läuferverband; er wird bei Mauern mit einer Dicke von 10 cm angewendet und entsteht wenn die Ziegel in jeder Reihe um die halbe Ziegelbreite versetzt in Längsrichtung (Läuferschicht) angeordnet werden. Aufeinanderfolgende Reihen enden also mit einem halben Ziegel, sofern nicht die Mauer um ein Eck herum führt. In diesem Fall wird der Endziegel in nachfolgenden Reihen um 90° verdreht zu den restlichen Ziegeln angeordnet, um damit den nächsten Mauerabschnitt zu beginnen. Da solche Mauern nicht sehr stabil sind, sollten sie nicht höher als 53 cm hoch sein, sofern sie nicht mit zusätzlichen Stützpfeilern versehen sind (siehe Seite 46). Für höhere Mauern sollte man 21,5 cm dickes Ziegelwerk verwenden. Theoretisch können Sie die Mauer aus zwei benachbarten Reihen im Läuferverband aufbauen und darauf vertrauen, daß der zwischen den Reihen liegende Mörtel die Mauer zusammenhält. Erfahrungsgemäß sind solche Mauern jedoch nicht besonders stabil, sofern man nicht die beiden Reihen durch integrierte Metallstücke verbindet. Stattdessen kann man auch einige Ziegel in Querrichtung (Binderschicht) versetzt anordnen, so daß diese durch die gesamte Mauerbreite hindurch reichen und so die ganze Struktur stabilisieren. Auf diese Weise kann man freistehende Mauern bis zu einer Höhe von 1,5 m ohne Stützpfeiler bauen. Wenn die Mauer mit Stützpfeilern im Abstand von 3 m versehen ist, kann sie 1,8 m hoch gebaut werden. Dies hat eine robuste Mauer zur Folge, wobei das Ziegelwerk erst im Laufe der Arbeiten sein reizvolles Verbandmuster erkennen läßt.

Man kann die Riemchen mit einer elektrischen Plattensäge leicht zerteilen.

MAUERVERBAND
Bei diesem Mauerverband besteht jede Reihe aus paarweise in Längsrichtung verlegten Ziegeln und einem einzelnen, in Querrichtung verlegten Ziegel. Dieser verleiht Stabilität, da er durch die Mauer hindurchreicht.

FLÄMISCHER MAUERVERBAND – SCHICHT A
Verlegen Sie beide Reihen mit der gleichen abwechselnden Anordnung von Binder- und Läuferschicht, wenn die Mauer eine Ecke aufweist. Setzen Sie neben dem Eckstein ein Riemchen.

Eckstein der Binderschicht

Riemchen

Zwei Steine der Läuferschicht

Binder

FLÄMISCHER MAUERVERBAND – SCHICHT B
Bringen Sie in der zweiten Schicht den Eckstein um 90° versetzt an. Verlegen Sie je einen Stein mit der Querseite und je zwei Steine mit der Längsseite nach außen.

Eckstein und Riemchen liegen um 90° versetzt.

Binder

Zwei Steine der Läuferschicht

Rechts: *Für diese reizvolle Pflanzecke wurden zwei Mauern im Läuferverband errichtet. An der Oberseite werden sie von zwei Schichten aus Kacheln sowie einer Rollschicht bedeckt.*

Berechnung der Ziegelmenge

Verwenden Sie diese Zahlen bei der Berechnung der benötigten Ziegel als Richtmenge: 60 Ziegel pro m² für eine Mauer im Läuferverband, 120 Ziegel pro m² für Mauern in Englischem oder Flämischem Verband, bei denen die Mauer einen Ziegel dick ist. Rechnen Sie zusätzlich 5 % an Verschnitt dazu.

Während des Mauerbaus zeigt sich die Symmetrie des Flämischen Verbandes. Die abwechselnd in Längs- und Querrichtung verlegten Ziegel wiederholen sich in jeder zweiten Reihe.

Bau von Stützpfeilern

Beim Bau einer freistehenden Mauer muß man sicherstellen, daß die Konstruktion auch seitlich einwirkenden Kräften gewachsen ist. Bis zu einem gewissen Punkt kann man dies über eine zunehmende Mauerdicke regulieren. Eine steindicke Mauer (24 cm) ist natürlich stabiler als eine halbsteindicke Mauer (12 cm). Und natürlich ist eine 1½-steindicke Mauer (36 cm) noch um ein Vielfaches belastungsfähiger. Stabile Mauern kann man in der Reihenfolge der beschriebenen Ziegelbreiten nur bis zu einer maximalen Höhe bauen: 53 cm oder 7 Ziegel, 1,5 m beziehungsweise 19 Ziegel sowie 2,5 m oder 32 Ziegel. Sie sollten die Höhe reduzieren, wenn die Mauer starkem Wind ausgesetzt ist. Wenn man die Dicke der Mauer auf ihrer gesamten Länge erhöht, wird dies jedoch teurer. Um die erforderliche Verstärkung zu erhalten, kann man stattdessen in bestimmten Abständen Stützpfeiler aus Ziegeln integrieren. Sie weisen in der Regel die doppelte Mauerdicke auf und werden an den Mauerenden, an den Ecken sowie im Abstand von ungefähr 3 m entlang der Mauer errichtet. Bei einer halbsteindicken Mauer weisen die Stützpfeiler die Dicke eines Ziegels auf. Man kann aber auch Pfeiler von der 1½-fachen Dicke der Ziegel einsetzen; in diesem Fall sind dann die Pfeiler von beiden Mauerseiten aus sichtbar.

BAU EINES ENDPFEILERS

1 Schließen Sie die erste Reihe einer im Läuferverband verlegten, halbsteindicken Mauer mit einem querliegenden Ziegel ab. Legen Sie in das inwendig liegende Eck einen halben Stein.

Bei einer halbsteindicken Mauer werden die Steine in Längsrichtung verlegt.

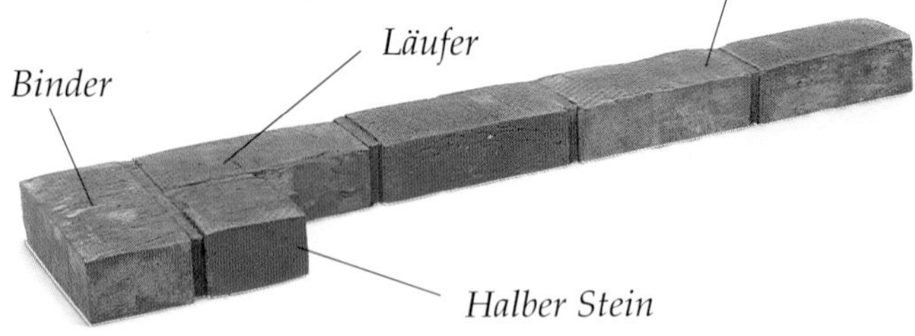

Binder

Läufer

Halber Stein

2 Verlegen Sie in der zweiten Reihe zwei Ziegel in Längsrichtung auf dem Stützpfeiler.

Die zweite Schicht des Pfeilers besteht aus zwei in Längsrichtung verlegten Steinen.

Zerteilen von Ziegeln

Markieren Sie die Schnittlinie auf der Ziegeloberfläche. Legen Sie den Ziegel auf ein Sandbett und treiben Sie den Setzer in den Ziegel, bis er an der Schnittlinie auseinanderbricht.

Füllen Sie die Fugen im Stützpfeiler mit Mörtel.

Verlegen Sie die Mauer stufenartig. Schließen Sie die einzelnen Reihen erst ab, wenn die Endpfeiler fertiggestellt sind.

3 Fahren Sie mit dem Verlegen fort, bis die Mauer die gewünschte Höhe erreicht hat.

Von rückwärts betrachtet gleicht die Struktur des Pfeilers jener einer Außenkante in einem Läuferverband.

BAU EINES ZWISCHENPFEILERS

1 Verlegen Sie zum Bau eines Zwischenpfeilers in einer halbsteindicken Mauer nebeneinander zwei querliegende Ziegel an der vorgesehenen Position. Sehen Sie die Zwischenpfeiler im Abstand von ungefähr 3 m an der Mauer vor.

Binder

2 Legen Sie in der zweiten Reihe einen halben Stein in die Mitte der Pfeilersteine. Schließen Sie an beiden Seiten je einen Dreiviertelstein an, damit das Verbandmuster eingehalten werden kann.

Halber Stein

Dreiviertelstein

Dreiviertelstein

Füllen Sie den Pfeiler mit einem ganzen Stein auf.

Dreiviertelstein

Halber Stein

Dreiviertelstein

Verlegen Sie die Mauer wie beim Bau des Endpfeilers stufenartig, bis der Pfeiler fertiggestellt ist.

3 Fahren Sie mit dem Verlegen der Steine fort, bis die Mauer die gewünschte Höhe erreicht hat.

Von rückwärts betrachtet zeigt der vorspringende Pfeiler abwechselnd längs und quer verlegte Ziegel.

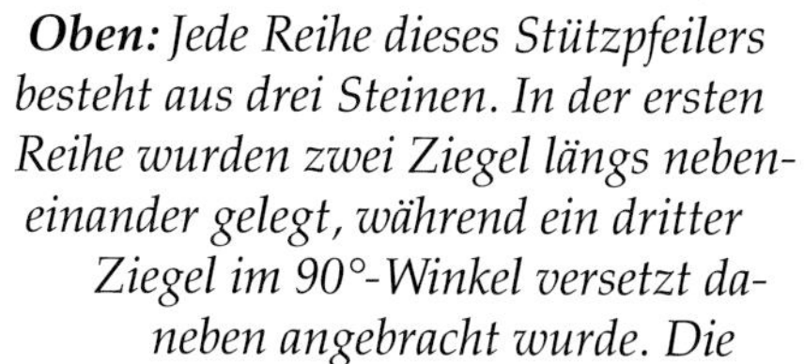

Oben: *Jede Reihe dieses Stützpfeilers besteht aus drei Steinen. In der ersten Reihe wurden zwei Ziegel längs nebeneinander gelegt, während ein dritter Ziegel im 90°-Winkel versetzt daneben angebracht wurde. Die Anordnung wechselt in aufeinanderfolgenden Reihen.*

Rechts: *Im Laufe des Mauerbaues wird die Symmetrie des Ziegelverbandes deutlich erkennbar. Überprüfen Sie die exakte senkrechte Ausrichtung der Fugen.*

Eine Steinmauer

Steinmauern im Garten besitzen eine angenehme Unregelmäßigkeit. Sie können die Mauern aus Natursteinen bauen, jedoch sind einige handwerkliche Fähigkeiten vonnöten, um die unregelmäßig geformten Bruchsteine zu einem stabilen Mauerwerk zusammenzufügen. Eine Alternative bieten hierzu Natursteinimitationen, die im Verband das reizvolle Aussehen von Natursteinen besitzen und abgeflachte Ober- und Unterseiten haben. Aus diesem Grund lassen sie sich problemlos verlegen. Bei Bedarf können sie viel einfacher zugeschnitten werden. Die Blöcke bestehen aus nachgebildetem Stein – feine Zuschlagstoffe werden mit Mörtel gebunden und hydraulisch gepreßt, damit sie die erforderliche Festigkeit erhalten. Sie sind in verschiedenen Farben erhältlich, angefangen von grau bis hin zu rot, braun und gelb. Auch die Steingröße variiert, die meisten Steine sind zwischen 23 cm lang, 10 cm breit und 6,5 cm hoch. Sie können die Abschlußreihe der Mauer freilassen, da die Imitationen jedoch eine sichtbare Gußmarkierung aufweisen, sieht es dekorativer aus, wenn Sie die Mauer mit einer passenden Schicht Abdeckplatten abschließen. Sie sind in der Regel 61 cm lang und haben eine leicht gefurchte Oberfläche sowie Tropfleisten entlang der Unterseite. Diese Elemente wurde entwickelt, damit das Regenwasser besser abfließen kann. Farblich sind die Steine auf die anderen Steinblöcke abgestimmt. Sie können problemlos zerteilt werden, so daß man die Mauerkappe exakt bemessen kann. Hierfür ist gängiges Maurerwerkzeug erforderlich.

1 Legen Sie ein Fundament – einen Betonstreifen oder -sockel, der ca. 15 cm tief und doppelt so breit wie die spätere Mauertiefe ist. Streichen Sie ein Mörtelbett entlang der Baulinie aus und verlegen Sie die erste Reihe.

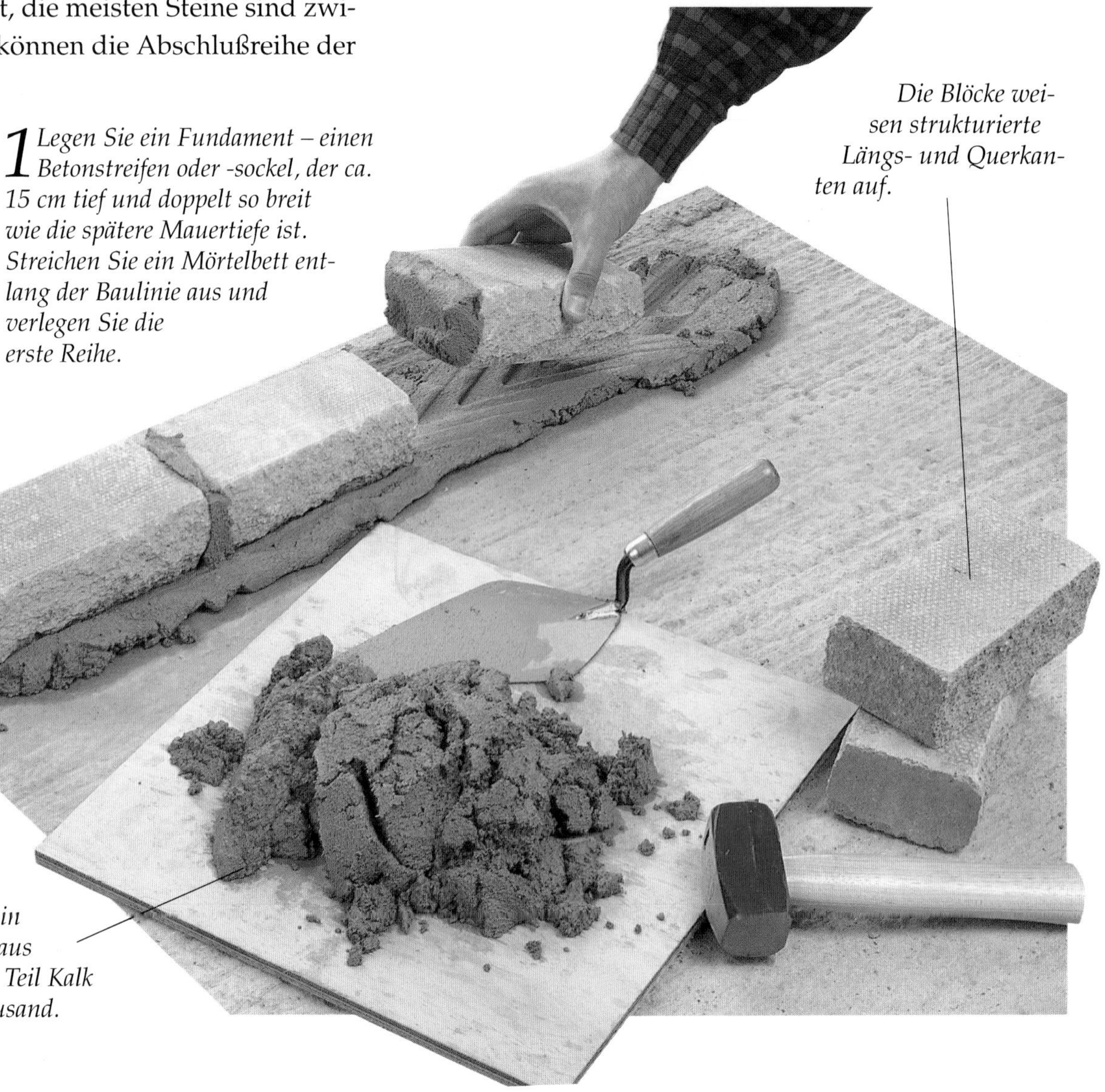

Die Blöcke weisen strukturierte Längs- und Querkanten auf.

Verwenden Sie ein Mörtelgemisch aus 1 Teil Zement, 1 Teil Kalk und 5 Teilen Bausand.

2 Verlegen Sie die erste Reihe. Verteilen Sie für die zweite Reihe ein Mörtelbett auf der Oberseite der Steine.

3 Beginnen Sie die zweite Reihe mit einem halben Stein, damit ein Steinverband entsteht. Zerteilen Sie ihn mit Hilfe von Setzer und Fäustel.

4 Fügen Sie zwei oder drei ganze Steine an und überprüfen Sie anschließend mit einer Wasserwaage, ob diese waagerecht verlegt sind.

5 Bestreichen Sie jeden Stein mit einer Kelle voller Mörtel und fügen Sie ihn an den vorherigen Stein an.

6 Ziehen Sie die Mauer bis zur gewünschten Höhe hoch, bestreichen Sie die Oberseite der abschließenden Reihe mit Mörtel und legen Sie die Abdecksteine darauf.

Lassen Sie die Abdecksteine an der Vorderseite und an den Rändern der Mauern um den gleichen Betrag überstehen.

7 Entfernen Sie überschüssigen Mörtel aus sämtlichen Fugen und glätten Sie diese mit der Spitze der Kelle.

Das Fundament sollte doppelt so breit wie die Mauer sein.

Bau eines Sichtschutzes

Ziegel und Steine ergeben von Natur aus stabile Gefüge, die sich hervorragend als Einfriedungsmauern eignen. In manchen Situationen wird mancher jedoch einen durchbrochenen Sichtschutz bevorzugen, um beispielsweise eine Terrasse mit einer lichtdurchlässigen Begrenzung einzufassen. Die quadratischen Blöcke lassen sich problemlos zu einer durchbrochenen Sichtschutzmauer zusammensetzen. Sie können sie entweder unbehandelt der natürlichen Verwitterung aussetzen oder mit Mauerfarbe verschönern. Die quadratischen Blöcke weisen eine Standardgröße von 29 cm und in der Regel eine Tiefe von 9 cm auf. Der Sichtschutz setzt sich demnach aus einem 30 cm großen Gitterwerk mit 1 cm dicken Fugen zusammen. Da die einzelnen Steine nicht zerkleinert werden können, muß jede Mauer sowohl in der Höhe wie auch in der Breite ein ganzes Vielfaches von 30 cm aufweisen. Sie können eine komplette Sichtschutzmauer ausschließlich mit durchbrochenen Ornamentsteinen und End-, Eck- sowie Zwischenpfeiler mit speziell geformten, viereckigen Stützpfeilern errichten. Zur Befestigung von zwei Reihen mit Ornamentsteinen sind jeweils drei Stützpfeiler erforderlich. Die einzelnen Steine werden nur in die senkrechten Stützpfeiler gesteckt und weisen keinen stabilen Mauerverband (wie bei Ziegelmauern) auf. Eine Mauer mit mehr als zwei Steinreihen ist aus diesem Grund äußerst unstabil und kann bei starkem Wind umstürzen.

1 Streichen Sie ein Mörtelbett entlang der Baulinie auf dem Betonsockel aus. Erzeugen Sie mit der Kellenspitze wellenförmige Linien.

2 Setzen Sie zum Bau einer freistehenden Mauer den ersten Stützpfeiler auf das Mörtelbett. Dieser Endpfeiler weist nur eine Vertiefung auf.

3 Legen Sie eine Wasserwaage auf den Pfeiler und überprüfen Sie, ob er waagrecht nach beiden Richtungen hin liegt.

Bedenken Sie, daß durchbrochene Ornamentsteine leicht zerbrechlich sind. Üben Sie den Druck beim Festklopfen in das Mörtelbett nur auf die Ränder aus, so daß die Wucht des Schlages durch das kompakte Material nach unten weitergeleitet wird.

4 Bestreichen Sie eine Kante des ersten Ornamentsteins mit Mörtel. Setzen Sie ihn auf das Mörtelbett und richten Sie seine Lage so aus, daß er exakt in die Vertiefung des Stützpfeilers paßt.

5 Bestreichen Sie die Kante des zweiten Steines mit Mörtel und legen Sie ihn an den ersten Stein an. Richten Sie die Steine waagrecht aus.

6 Fügen Sie nun das zweite Element für den Stützpfeiler auf das erste. Kontrollieren Sie, ob der Stein waagrecht ausgerichtet ist und exakt senkrecht steht.

7 Fügen Sie das dritte Pfeilerelement an, so daß der Pfeiler nun eine Höhe von 61 cm aufweist. Füllen Sie den zentralen Zwischenraum mit Mörtel auf.

8 Setzen Sie nun die zweite Steinreihe auf die erste. Überprüfen Sie, ob die Steine waagrecht ausgerichtet sind und sämtliche Fugen die gleiche Dicke aufweisen. Entfernen Sie überschüssigen Mörtel und streichen Sie die Fugen glatt.

Bau eines Sichtschutzes

1 Aus zwei Steinreihen bestehende Mauern benötigen keine zusätzliche Verstärkung. Bestreichen Sie die Oberseiten der Steinblöcke und Pfeilerelemente mit Mörtel.

Rechts: Die Hersteller von Sichtschutzwänden bieten spezielle Stützpfeiler an. Bei Zwischen- und Dreiwegepfeilern stoßen zwei bzw. drei Mauern im rechten Winkel aufeinander. Sämtliche Blöcke sind 20 cm hoch.

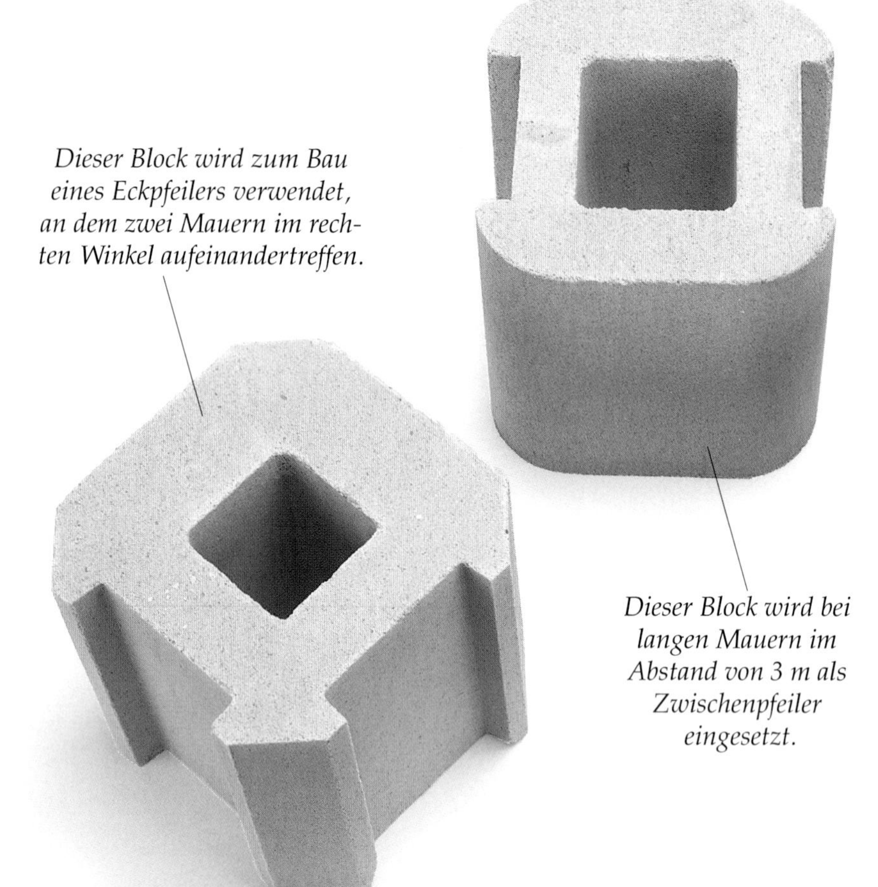

Dieser Block wird zum Bau eines Eckpfeilers verwendet, an dem zwei Mauern im rechten Winkel aufeinandertreffen.

Dieser Block wird bei langen Mauern im Abstand von 3 m als Zwischenpfeiler eingesetzt.

2 Setzen Sie zunächst die Pfeilerkappe exakt mittig auf den Stützpfeiler. Fügen Sie die erste Abdeckplatte stumpf an die Pfeilerkappe an. Richten Sie die Platte exakt waagrecht aus.

3 Streichen Sie die Zwischenräume zwischen den Blökken mit einer Kelle glatt. Sie können entweder ein wenig Mörtel hinzufügen und einen bündigen Abschluß erzeugen oder mit der Kelle an den Fugen entlangstreichen und abgeschrägte Fugen herstellen.

Dieser Block wird zum Bau von Dreiwegepfeilern verwendet, an dem drei Mauern im rechten Winkel aneinanderstoßen.

4 An dieser Baueinheit ist deutlich zu sehen, daß 2 Mauerblöcke exakt der Höhe von 3 Pfeilerblöcken entsprechen.

Höhere Mauern

Zur Stabilisierung höherer Mauern werden die Stützpfeiler um Verstärkungsstäbe herum aufgebaut. Die Mauer kann mit Pfeilerkappen und Abdeckplatten verkleidet werden, die die gleiche Farbe und Oberflächenbeschaffenheit wie die Mauerblöcke aufweisen.

1 Wenn die Mauer zwei Reihen überschreitet, müssen die Stützpfeiler mit einem Stahlstab verstärkt werden, der in das Fundament eingebettet wird. Verbinden Sie jede weitere Steinreihe mit Maschendraht am Pfeiler.

2 Verankern Sie den Maschendraht am Verstärkungsstab und drücken Sie ihn in das Mörtelbett. Streichen Sie etwas mehr Mörtel darauf, bevor Sie die zweite Reihe daraufsetzen.

3 Heben Sie das nächste Pfeilerelement über die Spitze des Verstärkungsstabes. Vergewissern Sie sich vor dem Festdrücken, ob die Vertiefung in die richtige Richtung zeigt.

4 Bringen Sie zwei weitere Reihen mit Ornamentsteinen und drei weitere Reihen mit Pfeilerblöcken an. Lassen Sie den Mörtel über Nacht aushärten, wenn die Mauer mehr als vier Reihen aufweisen soll.

Aufstellen von Zaunpfosten

Bei sämtlichen Zaunarten kommt dem stabilen Aufstellen der Stützpfosten eine besondere Bedeutung zu. Üblicherweise wird hierzu ein Teil des Pfostens versenkt und in einem Betonfundament an Ort und Stelle verankert. Diese Methode weist jedoch einen entscheidenden Nachteil auf: Da die Pfostenunterseite unter der Erde liegt, wird sie im Laufe der Zeit verrotten, selbst wenn das Holz mit einem Holzschutzmittel imprägniert worden ist. Auf der anderen Seite hat die Verwendung einer Stahlspitze zur Folge, daß der empfindliche Zaunpfosten vollständig über der Erde liegt. Daneben sind verschraubbare Pfostenhalter erhältlich, die insbesondere für Bereiche mit harter Oberfläche vorgesehen sind. Beide Haltevorrichtungen besitzen einen rechteckigen Sockel, in den der Zaunpfosten eingesetzt wird; sie sind für verschiedene Pfostengrößen im Handel erhältlich. Manche Haltevorrichtungen sind zusätzlich mit Stahlzähnen versehen, mit denen der Pfosten stabil und dauerhaft beim Hineinhämmern verankert wird. Andere wiederum weisen bolzenunterstützte Klemmeinrichtungen auf, die mit Schrauben und Nägeln verstärkt sind. Mit diesem System ist es möglich, den Pfosten ohne Beeinträchtigung des Sockels zu entfernen. Stahlspitzen werden unter Zuhilfenahme eines aufsetzbaren Schlagklotzes aus Holz oder Harz in den Boden gehämmert, der den Sockel vor Beschädigungen durch die Hammerschläge schützt. Befestigen Sie die Haltevorrichtungen mit metallenen Spannbolzen im Beton oder einem anderen stabilen, gemauerten Fundament, damit Sie die Halterung später wieder entfernen können.

Verwendung einer Stahlspitze

Stimmen Sie immer die Größe von Stahlspitze und Zaunpfosten aufeinander ab.

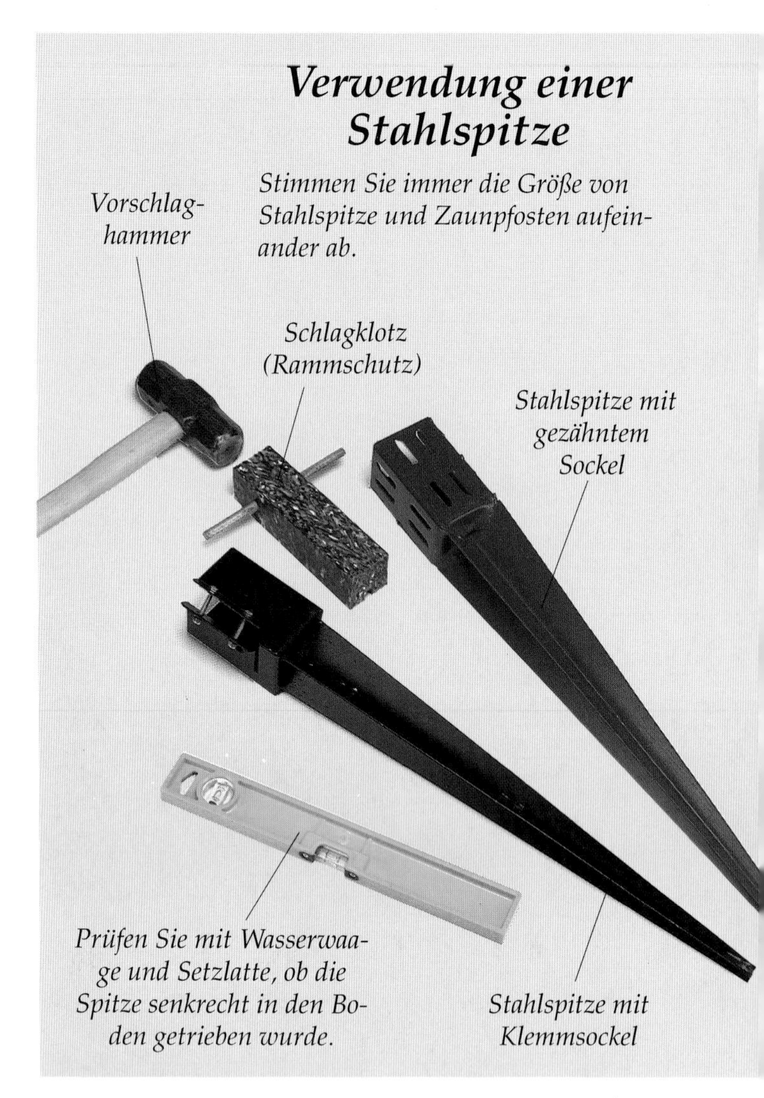

1 Stellen Sie zur Montage den verschraubbaren Pfostenhalter an der vorgesehenen Stelle auf und markieren Sie die Lage der Befestigungslöcher auf dem Untergrund.

2 Wählen Sie den Bohrkopf der Schlagbohrmaschine passend zum Durchmesser des verwendeten Spannbolzens aus. Bohren Sie die Befestigungslöcher bis zur erforderlichen Tiefe.

3 Trennen Sie Bolzen und Unterlegscheibe von der Ankerhülse. Drükken Sie die Hülse, mit dem Spreizdübel nach unten, in das Bohrloch.

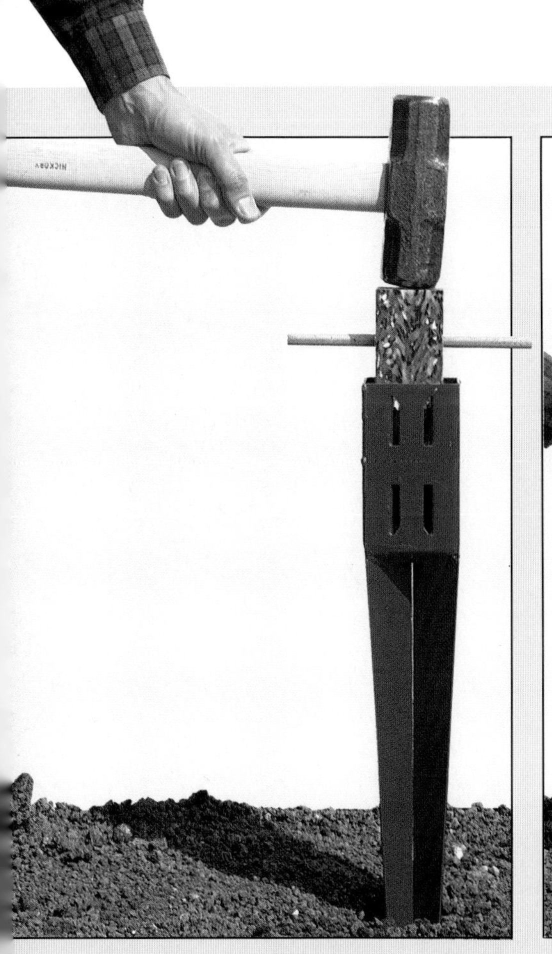

1 Drücken Sie die Stahlspitze mit der Hand an der vorgesehenen Stelle in den Boden. Hämmern Sie die Spitze des Schlagklotzes in den Boden.

2 Kontrollieren Sie, ob die Spitze waagrecht in den Boden getrieben wurde. Halten Sie die Wasserwaage an die benachbarte Sockelseiten.

3 Treiben Sie die Stahlspitze mit wiederholten Hammerschlägen in den Grund, bis sich der Sockel auf Bodenhöhe befindet.

4 Kontrollieren Sie die senkrechte Ausrichtung des Pfostens. Klopfen Sie den Sockel zur Seite.

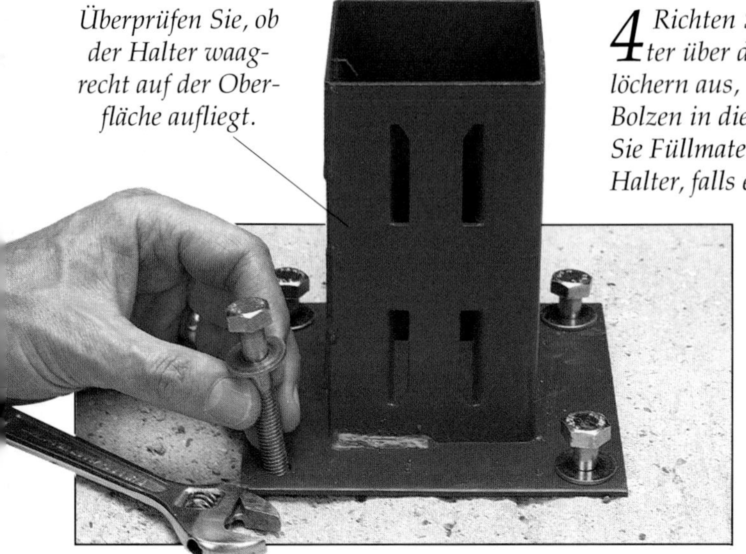

Überprüfen Sie, ob der Halter waagrecht auf der Oberfläche aufliegt.

4 Richten Sie den Pfostenhalter über den Befestigungslöchern aus, stecken Sie die Bolzen in die Bohrlöcher. Legen Sie Füllmaterial unter den Halter, falls er nicht vollkommen waagrecht steht.

5 Ziehen Sie sämtliche Bolzen fest. Dadurch spreizt sich der Dübel vollständig und sorgt für einen sicheren Halt im Mauerfundament.

Klemmsockel

Setzen Sie den Pfosten ein und ziehen Sie die Bolzen fest. Bringen Sie Schrauben oder Nägel durch die Sockellöcher hindurch im Pfosten an.

Montage fertiger Zaunteile

Ein Zaun läßt sich am schnellsten aufstellen, wenn man vorgefertigten Zaunteile zwischen den Pfosten montiert. Dichtgelattete Einheiten liefern dabei gleichzeitig Abgeschiedenheit und Schutz. Diese imprägnierten Elemente werden aus dünnen Holzlatten gefertigt, die an einem leichten Rahmen befestigt sind. Sie sind in vielen verschiedenen Fertigungsarten und Größen erhältlich, wobei die Standardgröße 1,8 m entspricht, während die Längen von 90 bis 180 cm variieren. Die Latten verlaufen in der Regel waagrecht; sie überlappen einander oder sind um senkrechte Latten hindurch geflochten. Stabilität erhält der fertige Zaun erst durch stabile Halterungen. Ohne diese Halterungen können starke Winde die Teile von ihren Stützpfosten losreißen. Meist wird es erforderlich sein, ein oder mehrere Zaunteile auf eine bestimmte Breite zurechtzuschneiden, da die Elemente Standardgröße aufweisen und die Gesamtlänge des Zaunes nur selten ein vielfaches Ganzes dieser Zaunteilbreite sein wird. Stemmen Sie die senkrechte Rahmenlatte an einer Seite des Elements heraus und befestigen Sie es anschließend erneut im gewünschten Abstand von der gegenüberliegenden Rahmenlatte, bis das Zaunteil die erforderliche Breite aufweist. Entfernen Sie den überstehenden Abschnitt des Elements mit einer Säge, verwenden Sie dabei die versetzte Rahmenlatte als Schneidehilfe. Bestreichen Sie alle zwei Jahre Holzlatten und Zaunpfosten mit einem Holzschutzmittel.

1 Befestigen Sie den ersten Pfosten in einer Stahlspitze oder einem Betonsockel. Überprüfen Sie die exakte senkrechte Ausrichtung des Pfostens.

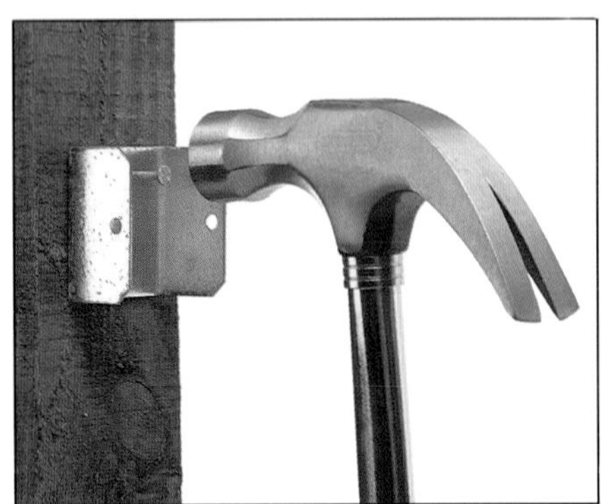

2 Befestigen Sie U-förmige Metallklammern an der Innenseite des Pfostens. Sehen Sie für niedrige Zaunteile je eine Klammer an Ober- sowie Unterseite vor.

3 Stellen Sie das Zaunteil auf Ziegelsteine oder Holzbretter. Schieben Sie die Kante des Zaunteiles in die am Pfosten befindlichen Klammern. Sie halten das Teil in senkrechter Lage.

4 Befestigen Sie die Klammern mit rostfreien Nägeln am Zaunteil. Bringen Sie einen Nagel von der gegenüberliegenden Zaunseite aus an, sofern ein Zugang möglich ist.

5 Stellen Sie einen weiteren Pfosten neben dem ersten Zaunteil auf. Berücksichtigen Sie Platz für die Klammern. Achten Sie auf die senkrechte und waagrechte Ausrichtung der Stahlspitze.

Weitere Befestigungsmöglichkeiten

L-förmige Klammern, die an Pfosten und Zaunteil verschraubt werden, gewährleisten einen besseren Halt als Nägel.

1 Bohren Sie ein Loch vor. Schrauben Sie die Klammer in den Pfosten. Der waagrechte Teil der Klammer muß am Ende auf der Vorderseite zu liegen kommen.

2 Stellen Sie das Zaunteil auf Blöcke und bohren Sie Löcher vor. Verwenden Sie rostfreie Schrauben. Bringen Sie die Schrauben an.

***Oben:** Bohren Sie kleine Löcher vor und befestigen Sie den Rahmen mit Nägeln direkt am Pfosten. Der Rahmen muß stabil sein.*

6 Befestigen Sie die Klammern am zweiten Pfosten auf der gleichen Höhe wie beim ersten Pfosten. Stellen Sie den Pfosten in den Sockel.

7 Fahren Sie mit der beschriebenen Arbeitsweise fort, bis der Zaun die gewünschte Länge erreicht hat. Nageln Sie auf alle Pfosten einen Aufsatz.

8 Entfernen Sie die Unterlegklötze, sobald alle Zaunteile befestigt sind.

Ein dichtgelatteter Zaun

Ein dichtgelatteter Zaun zählt zu den stabilsten Zäunen überhaupt, er ist jedoch teurer als andere Zaunarten, da man viele Holzlatten benötigt. Der Zaun besteht aus 2 oder 3 waagrecht liegenden Riegeln, an denen die überlappenden, senkrechten Holzlatten festgenagelt werden. Für Zäune bis zu einer Höhe von ungefähr 1 m genügen 2 Riegel, bei höheren Zäune müssen Sie 3 Riegel in regelmäßigen Abständen anbringen. Riegel weisen einen rechtwinkeligen, dreieckigen Querschnitt auf und werden mit der größten Breite senkrecht zwischen die Zaunpfosten eingepaßt. Bei einer traditionellen Bauart liefen die Enden der Riegel konisch zu und wurden in die Nut der Zaunpfosten eingepaßt. Heute hingegen werden die Riegel mit Hilfe spezieller Metallhalterungen an den Zaunpfosten befestigt. Die senkrechten Holzlatten laufen im Querschnitt betrachtet spitz zu und werden so an den Riegeln befestigt, daß die breite Längsseite einer Latte jeweils die dünne Seite der benachbarten Latte überlappt. Da die empfindlichen Endstücke der Holzlatten an der Ober- und Unterseite des Zaunes freiliegen, müssen sie gegen Verrottung imprägniert werden.

1 Stellen Sie zunächst sämtliche Zaunpfosten in gleichmäßigem Abstand entlang des geplanten Zaunes auf. Nageln Sie anschließend 15 cm lange, 3 cm dicke Holzklötze an den Pfosten fest.

2 Schneiden Sie das Kiesbrett zurecht und bestreichen Sie die Schnittstellen mit etwas Holzschutzmittel. Legen Sie das Brett zwischen die Pfosten. Ein Kiesbrett schützt die Unterseite eines Lattenzaunes.

Passen Sie das Kiesbrett auf geneigtem Untergrund so an, daß es dem Winkel der Böschung entspricht.

3 Befestigen Sie die Enden des Kiesbrettes an den Holzklötzen mit je zwei verzinkten Nägeln.

4 Befestigen Sie die Halterung für den ersten Riegel ca. 15 cm über dem Kiesbrett mit Nägeln. Nageln Sie die zweite Halterung ungefähr 15 cm unterhalb der Zaunoberseite fest.

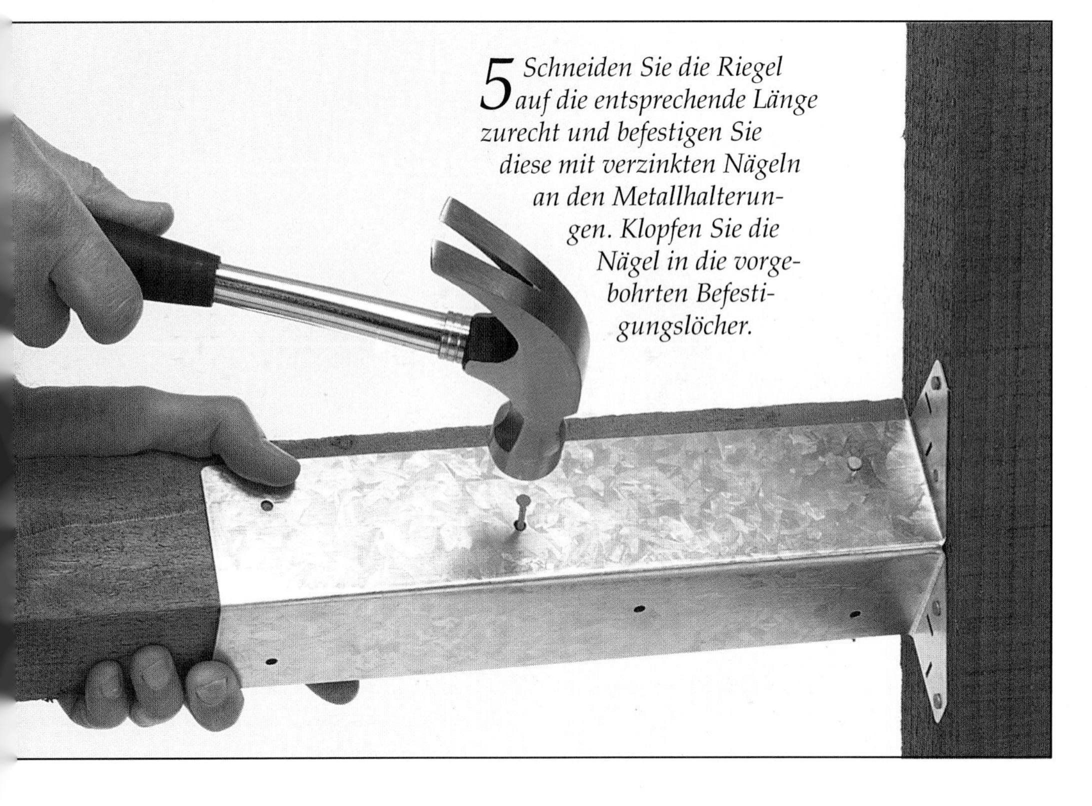

5 Schneiden Sie die Riegel auf die entsprechende Länge zurecht und befestigen Sie diese mit verzinkten Nägeln an den Metallhalterungen. Klopfen Sie die Nägel in die vorgebohrten Befestigungslöcher.

6 Stellen Sie eine Holzlatte neben den Zaunpfosten auf das Kiesbrett und markieren Sie die erforderliche endgültige Zaunhöhe.

7 Kürzen Sie das Brett und behandeln Sie die Schnittstelle mit Holzschutzmittel. Verwenden Sie das Brett als Vorlage und schneiden Sie danach die restlichen Holzlatten zu. Stellen Sie anschließend die erste zugeschnittene Holzlatte auf das Kiesbrett, so daß die breitere Seite an den Zaunpfosten anschließt. Befestigen Sie die Latte der Reihe nach an sämtlichen Riegeln.

Zwei Riegel genügen für Zäune bis zu einer Höhe von ca. 1 m. Bringen Sie bei höheren Zäunen einen weiteren Riegel an.

Ein dichtgelatteter Zaun

Betonpfosten

Wenn Sie einen langlebigen Zaunpfosten errichten möchten, können Sie Betonpfosten anstelle von Holzpfosten in Erwägung ziehen. Diese werden um eine metallene Verstärkungsstange herum gegossen und sind im Baustoffhandel in vielen Standardgrößen erhältlich. Zwischen den Pfosten werden Standardriegel aus Holz verwendet, deren Enden exakt in eine vorgeformte Nut im Zaunpfosten hineinpassen. Unter Umständen muß man die Riegelenden zuerst mit einer Handsäge verjüngen.

Es gibt zwei Möglichkeiten, um einen dichtgelatteten Zaun vor eindringendem Wasser und Verrottung zu schützen. Eine Möglichkeit besteht darin, auf der Oberseite des Zaunes einen Abschlußriegel und an der Unterseite ein waagrechtes Holzbrett zu befestigen, das als Kiesbrett bezeichnet wird und ein Aufliegen der Latten auf dem Boden verhindert. Es wird an kleinen Holzklötzchen befestigt, die an die Zaunpfosten genagelt werden; man kann es einfach ersetzen, falls es im Laufe der Zeit verrottet. Kaufen Sie zum Bau eines dichtgelatteten Zaunes nur Holzlatten, die mit einem Holzschutzmittel imprägniert worden sind. Besorgen Sie sich zudem ein geeignetes Imprägniermittel, damit Sie die Schnittkanten nach dem Zuschneiden des Holzes nachträglich behandeln können. Sofern Sie den Zaun als hohen Grenzzaun vorgesehen haben, sollten Sie die Riegel so anbringen, daß sie zur Grundstücksseite hin zeigen. Andernfalls können sie Einbrechern als Tritthilfen dienen und das Übersteigen des Zaunes erleichtern.

Verwenden einer Nagelhilfe

Wer über kein ausreichendes Augenmaß beim Ausrichten der Nägel verfügt, kann zwischen benachbarten Pfosten eine Schnur spannen und diese als Nagelhilfe verwenden.

1 Benachbarte Holzlatten sollten sich um ca. 1 cm überlappen. Verwenden Sie als Abstandhalter ein Stück Holz, um entlang des gesamten Zaunes eine einheitliche Überlappungsbreite sicherzustellen.

2 Legen Sie die Latten überlappend aneinander, überprüfen Sie den waagrechten Abschluß und nageln Sie die Latte in der Mitte des Riegels fest.

3 Überprüfen Sie mit einer Wasserwaage die exakte senkrechte Ausrichtung der Latte. Nageln Sie sie am unteren Riegel fest.

4 Fahren Sie fort, bis Sie eine Holzlatte vom nächsten Pfosten entfernt sind. Befestigen Sie die Abschlußlatte mit dem breiten Ende am Pfosten.

5 Schneiden Sie einen Abschlußriegel entsprechend dem Pfostenabstand zurecht und nageln Sie ihn auf die Oberseite der Zaunlatten. Befestigen Sie anschließend die Pfostenaufsätze mit je zwei Nägeln.

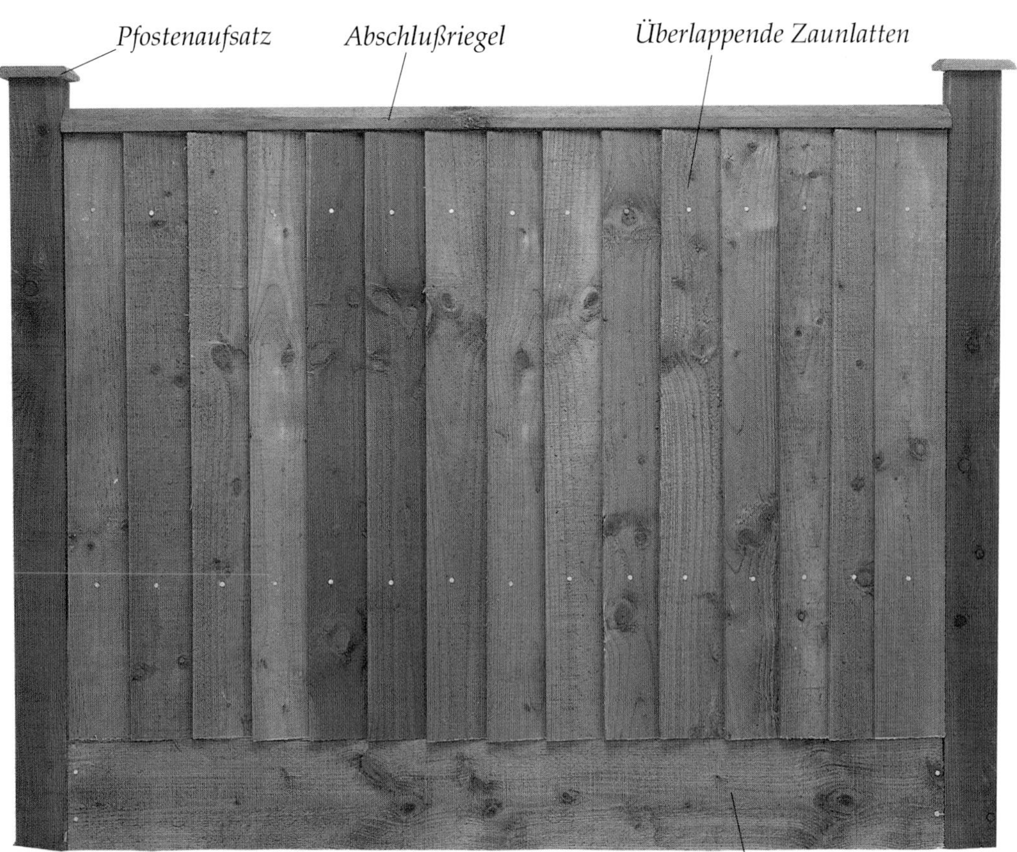

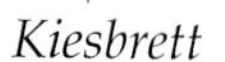

6 Der Zaun kann nicht so leicht überklettert werden, wenn die Riegel zur Grundstücksseite hin zeigen.

Unten: *Ein traditioneller Lattenzaun gibt für jede Rabatte einen perfekten Hintergrund ab. Kletterpflanzen finden besseren Halt, wenn man an der Oberseite ein niedriges Spalier anbringt.*

Ein Ranchzaun

Dieser Zaun wurde ursprünglich, wie bereits sein Name vermuten läßt, auf Viehfarmen verwendet. Er besteht aus weit auseinanderstehenden Latten, die an stabilen Pfosten befestigt sind. Häufig wird er als billige Alternative zu einem Lattenzaun als Begrenzung für Vorgärten verwendet, wo dem Anzeigen der Grundstücksgrenze mehr Bedeutung zukommt, als dem Schaffen eines hohen Maßes an Abgeschiedenheit und Sicherheit. Für einen niedrigen Zaun genügen in der Regel zwei Latten, für höhere Zäune kann man aber auch drei oder mehr Reihen einsetzen. Ranchzäune werden nur selten höher als ca. 1 m errichtet, da eine größere Höhe weder ihr Aussehen noch ihre Sicherheit steigert. Die Zäune sind meist weiß gestrichen. Wenn Sie hingegen einen weniger auffälligen Zaun bevorzugen, können Sie statt dessen natürliche Grün- und Brauntöne verwenden. Häufiges, regelmäßig Streichen läßt sich reduzieren, wenn man mikroporöse Farbe oder Beize verwendet. Die Sicherheit eines Ranchzauns kann man verbessern, wenn man eine zusätzliche Latte knapp über dem Boden anbringt und den Spalt zwischen Latten und Pfosten mit einem unauffälligen Maschendraht verkleidet. In diesem Fall müssen Sie lediglich den Lattenabstand verringern und die Latten abwechselnd auf der Vorder- und Rückseite der Pfosten befestigen. Aus einiger Entfernung betrachtet wirkt dies wie eine scheinbare feste Einfriedung. Diese Zäune mit versetzt angeordneten Latten bzw. Flechtzäune sind jedoch verhältnismäßig teuer, da mehr Material für ihren Bau erforderlich ist. Darüber hinaus bieten sie keine besondere Sicherheit, da man an ihnen wie auf einer Leiter hinaufklettern kann. Man sollte Zäune dieser Art eher als Sichtschutz im Garten und nicht zur Abgrenzung des Grundstückes einsetzen.

Oben: *Schrägen Sie den Zaunpfosten an der Oberseite im 45°-Winkel ab. Passen Sie die Pfostenaufsätze entsprechend an, wenn Sie einen vierkantigen Abschluß bevorzugen.*

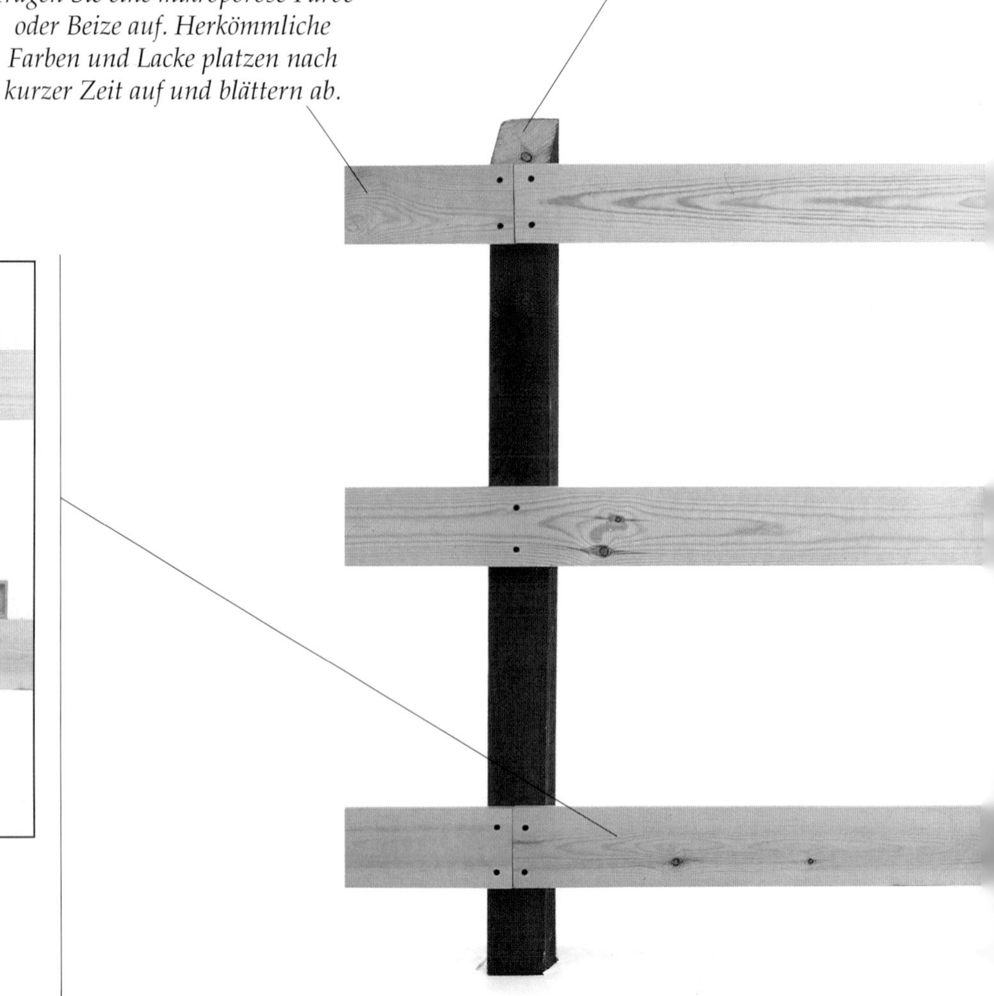

Tragen Sie eine mikroporöse Farbe oder Beize auf. Herkömmliche Farben und Lacke platzen nach kurzer Zeit auf und blättern ab.

Oben: *Befestigen Sie ein Lattenende auf ebenem Untergrund zunächst mit einem Nagel oder einer Schraube auf der vorgesehenen Höhe.*

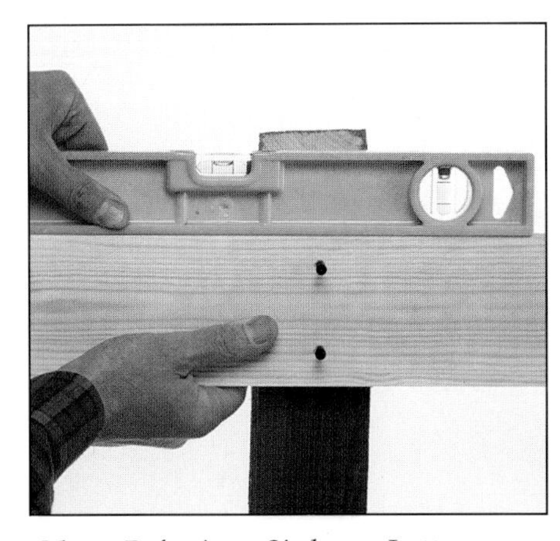

Oben: *Befestigen Sie lange Latten quer über den Zaunpfosten. Schrauben Sie die Befestigungen in die Latte und überprüfen Sie die waagrechte Ausrichtung.*

Oben: *Befestigen Sie die Latte sicher am Pfosten, indem Sie die Schrauben fest anziehen.*

Die beiden Lattenenden müssen ganz dicht und stumpf aneinanderstoßen.

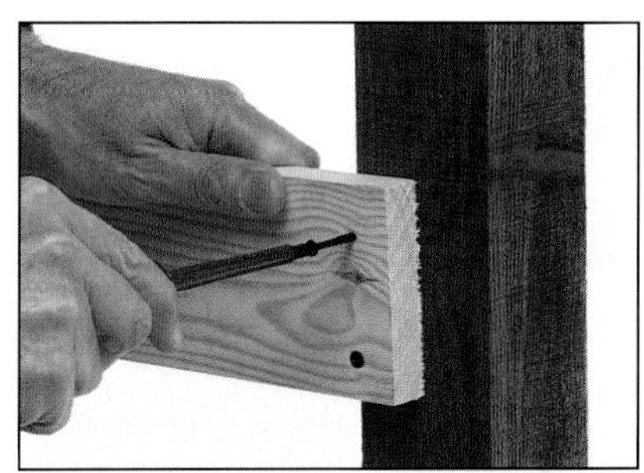

Oben: *Die zugeschnittenen Lattenenden sollten bis zur Pfostenmitte reichen. Bohren Sie Löcher vor, damit das Holz am Ende nicht splittert.*

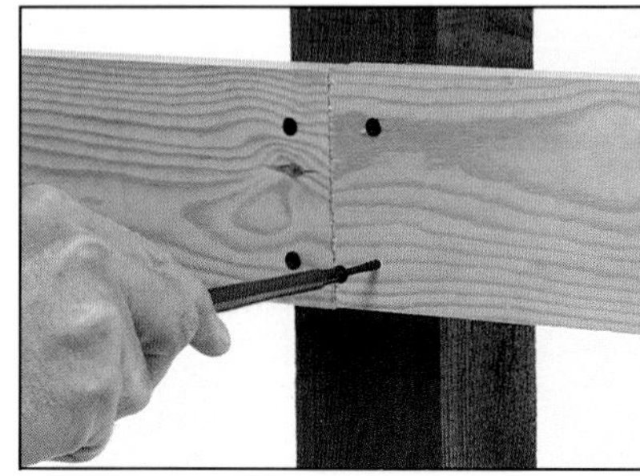

Oben: *Legen Sie die zweite Latte an, richten Sie beide Latten waagrecht aus. Bohren Sie Löcher vor und befestigen Sie die Latten.*

Versetzt angeordnete Latten

Dieser Sichtschutzzaun besteht aus versetzt angeordneten Latten, die abwechselnd auf gegenüberliegenden Pfostenseiten befestigt werden. Er ist gut für windige Stellen geeignet, da der Wind durch die Spalten blasen kann.

1 Beginnen Sie mit dem Bau des Zaunes an der Unterseite. Befestigen Sie die untersten Latten, nageln Sie anschließend ein Holzstück quer am Holzpfosten fest. Er dient als Abstandhalter.

2 Entfernen Sie den Abstandhalter und bringen Sie die nächste Reihe an. Befestigen Sie diese mit einem Nagel oder einer Schraube. Bringen Sie nun die zweite Schraube an.

3 Bauen Sie den Zaun bis zur gewünschten Höhe auf. Bestreichen Sie Holzlatten und Pfosten mit einem Holzschutzmittel, um Verrottung und Insektenbefall zu verhindern.

Bau eines Lattenzaunes

Lattenzäune haben ihren Ursprung in mittelalterlichen Pfahlsperren, bei denen zugespitze Pfosten in den Boden getrieben wurden, um einen einfachen Verteidigungswall oder einen Viehverschlag zu bauen. Bei ihren modernen Abkömmlingen werden die einzelnen Holzlatten an einem Gerüst aus zwei oder drei waagrechten Riegeln mit Nägeln befestigt. Anschließend wird das komplette Zaunteil an den Zaunpfosten befestigt, so daß die unteren Abschnitte der Holzlatten nicht mit dem Boden in Berührung kommen. Der fertige Lattenzaun sieht sehr ansprechend aus, nachteilig ist jedoch, daß er nicht besonders sicher ist und weder Abgeschiedenheit noch Schutz bietet. In der Regel sind Lattenzäune jedoch auf eine maximale Höhe von 90 cm begrenzt. Am schnellsten ist der Zaun aufgestellt, wenn man die Holzlatten auf die Riegel nagelt. Mehr Stabilität erreicht man jedoch, wenn man zur Befestigung Schrauben anstelle von Nägeln verwendet. Auch die Fixierung der Riegel an den Zaunpfosten erfolgt schneller, wenn man hierfür Nägel verwendet. Mehr Stabilität erhält der Zaun jedoch, wenn man statt dessen Schrauben verwendet oder an den Riegelenden kleine hölzerne Querleisten zur Befestigung anbringt. Wichtig ist es, daß Sie ausschließlich Holzlatten verwenden, die mit einem Holzschutzmittel vorbehandelt worden sind. Nur auf diese Weise sind die empfindlichen Endstücke der Latten vor eindringendem Wasser, Verrottung oder Insektenbefall ausreichend geschützt. Sofern Sie sich für einen farbigen Anstrich entscheiden, sollten Sie nur eine mikroporöse Farbe oder Beize verwenden, unter der das Holz atmen kann.

Mit einer Gehrungsfuge lassen sich exakte Winkel schneiden.

1 Schneiden Sie zunächst die Holzlatten in die gewünschte Form. Es erleichtert die Arbeit, wenn Sie eine Musterlatte vorbereiten und diese als Vorlage verwenden.

2 Ein Abstandhalter gewährleistet das Einhalten eines einheitlichen Abstandes zwischen den Latten. Lassen Sie zwischen Pfosten und der ersten Latte einen Spalt frei.

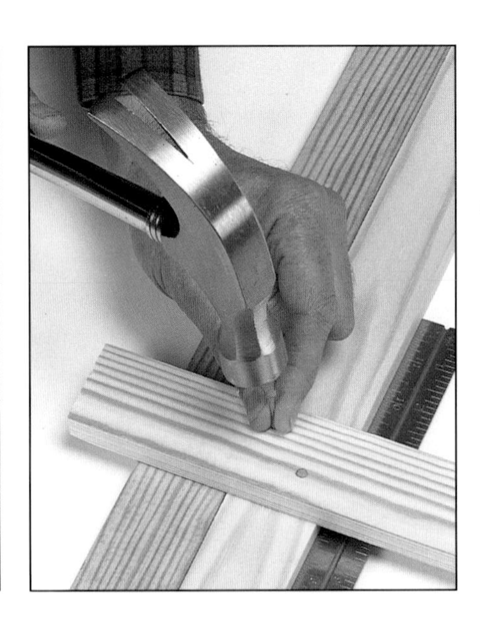

3 Befestigen Sie die Riegel mit je zwei verzinkten, diagonal gesetzten Nägeln an den Latten. Dies verhindert ein Verziehen des Zaunteiles beim Montieren.

Sie können einen beliebig breiten Lattenabstand wählen.

4 Befestigen Sie die erste Latte an den Riegeln. Legen Sie den Abstandhalter an und plazieren Sie die zweite Latte. Eine Scheuerleiste hilft dabei, alle Latten auf gleicher Höhe auszurichten.

5 Belassen Sie den Abstandhalter an Ort und Stelle, wenn Sie die Nägel in die Latten klopfen. So ist sichergestellt, daß alle Latten parallel verlegt werden.

6 Befestigen Sie die letzte Latte. Es muß noch Platz zur Befestigung der Riegel übrig sein. Spuren Sie zwischen Zaunpfosten und der letzten Holzlatte eine Lattenbreite aus.

7 Legen Sie den Abstandhalter zwischen Pfosten und Zaunteil. Nageln Sie die Riegel am Pfosten fest.

Lattenprofile

Die Lattenenden können jeden beliebigen Abschluß aufweisen. Hier wurden einfache Halbkreise mit einer Dekupiersäge zugeschnitten. Schneiden Sie eine Schablone zurecht, die als Vorlage für die restlichen Latten dient.

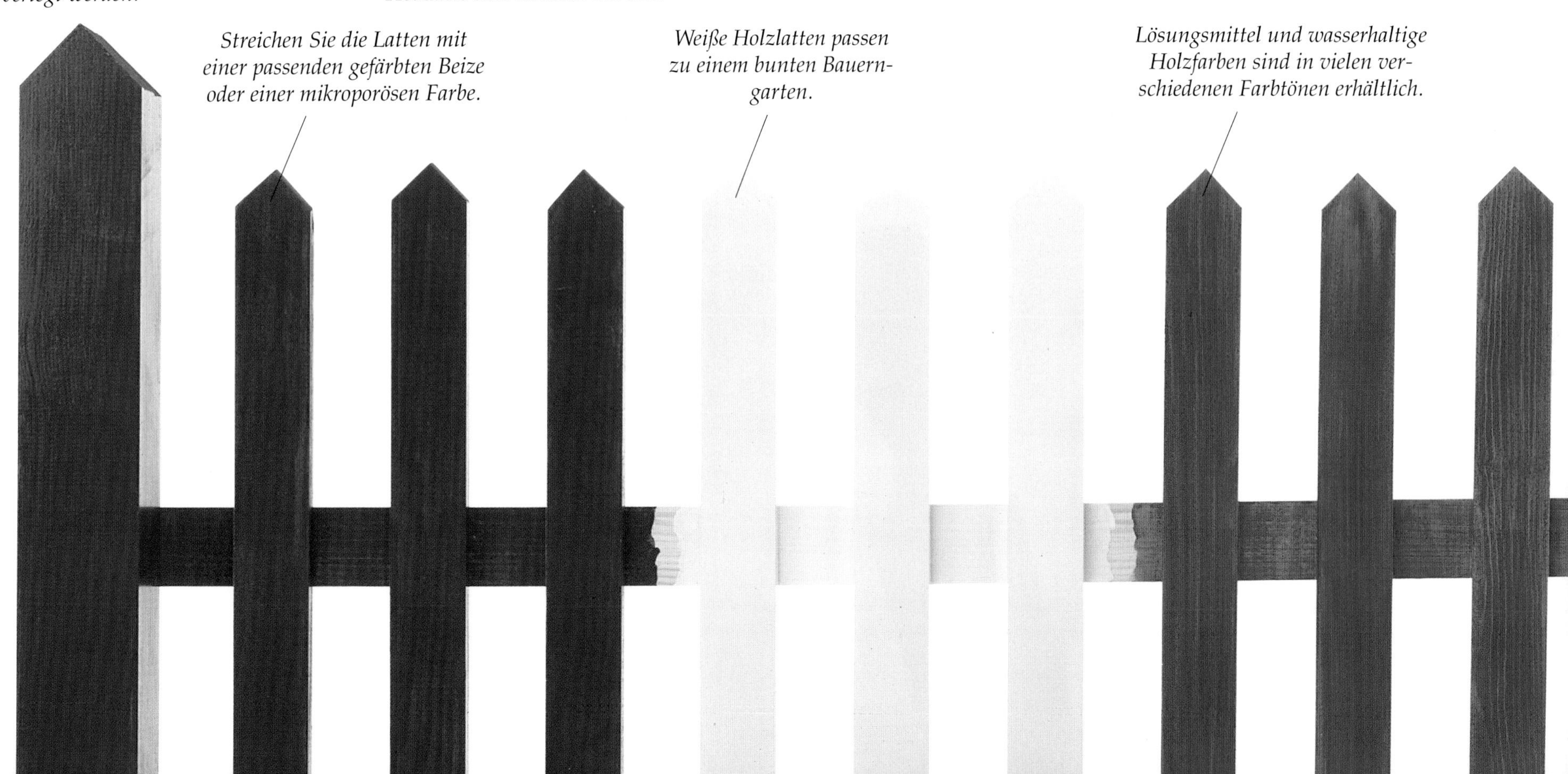

Streichen Sie die Latten mit einer passenden gefärbten Beize oder einer mikroporösen Farbe.

Weiße Holzlatten passen zu einem bunten Bauerngarten.

Lösungsmittel und wasserhaltige Holzfarben sind in vielen verschiedenen Farbtönen erhältlich.

Verschiedene Gartenzäune

Der Umstand, daß Holz für alle erdenklichen Zaunarten verwendet wird, liegt in seiner Vielseitigkeit begründet. Sie können einen einzigartigen Zaun selbst entwerfen und bauen oder aber vorgefertigte Zaunteile zusammensetzen. Lattenzäune und Spaliere sind für die verschiedensten Entwürfe geeignet. So können Sie die Lattenenden nach Ihren eigenen Vorstellungen formen und geformte oder wellenförmige Abschlußprofile als Gegensatz zu den endlosen, geraden Linien entwickeln. Und auch Spaliere müssen nicht zwingend ein rechteckiges oder quadratisches Muster aufweisen. Mit etwas Einfallsreichtum können Sie eine Reihe außergewöhnlicher fächerförmiger Formen sowie Trompe-l'œil-Effekte erzielen, vor denen Ihre Pflanzen perfekt zur Geltung kommen. Nicht zu vergessen sind weitere natürliche Materialien, wie Bambus- oder Schilfrohr. Mit ihnen lassen sich Zäune und Sichtschutzwände herstellen, wenn man sie an einem stabilen Holzrahmen befestigt. Und zuletzt noch folgender Hinweis: Weisen Sie ein vorgefertigtes Zaunteil nicht gleich wegen der begrenzten Auswahl an Standardgrößen von der Hand. Es sind nur einige Handgriffe erforderlich, um ein fertiges Teil in eine gewünschte Form und Größe zurechtzuschneiden.

Rechts: *Dieser schlichte Zaun aus Pfosten und Riegeln stellt eine billige Abgrenzung dar. Er bietet nur in Kombination mit einer dichten Bepflanzung Schutz und Abgeschiedenheit.*

Oben: *Man kann viel Arbeit beim Herstellen solch hübscher Abschlüsse sparen, wenn man eine Schablone herstellt und mit einer Stichsäge oder Fräse die Latten gestaltet.*

Unten: *Der einzige begrenzende Faktor bei der Gestaltung des Zaunabschlusses ist nur Ihre Phantasie. Bestreichen Sie die zugeschnittenen Latten mit einem Holzschutzmittel.*

Kürzen eines fertigen Zaunteiles

1 *Nur selten ist es möglich, einen Zaun mit einem fertigen Zaunteil abzuschließen. Stemmen Sie die beiden Begrenzungsleisten heraus, wenn Sie das Teil kürzen müssen.*

2 *Messen Sie die erforderliche Breite aus und legen Sie die Leisten im gewünschten Abstand von der gegenüberliegenden Rahmenlatte auf das Teil.*

Oben: *Flechtzäune – stabile verwobene Geflechte aus dünnen Weiden- oder anderen Holzzweigen – wurden früher als vorübergehender Verschlag für Vieh verwendet.*

Rechts: *Mit Kletterpflanzen bewachsene Spalierzäune können eine reizvolle natürliche Begrenzung abgeben. Die Spaliere werden an Zaunpfosten montiert.*

3 Klopfen Sie verzinkte Nägel durch die vorhandenen Löcher auf der Vorderseite, bis Sie auf das Zaunteil treffen.

4 Entfernen Sie den Abschnitt entlang der versetzten Leiste mit einer Säge. Behandeln Sie die Schnittkanten mit Holzschutzmittel, befestigen Sie daran das Zaunteil.

Links: *Ungewöhnliche Zaunmaterialien, wie diese Schilfmatten, können ein interessanter Hintergrund für Ziersträucher sein. Die Matten werden einfach an den dahinterliegenden Pfosten und Riegeln befestigt.*

1 Bringen Sie ein geeignetes Fundament an und verlegen Sie dann die erste Ziegelreihe. Diese Treppe besteht aus zwei Stufen, sie wird direkt an die Terrassenmauer angebaut.

2 Beginnen Sie die zweite Reihe seitlich mit je einem halben Stein, damit Sie einen Läuferverband erhalten. Verzahnen Sie die Treppe mit einem ganzen Stein mit der Mauer, falls Sie eine Treppe mit vielen Stufen planen.

3 Füllen Sie die zweite Reihe mit ganzen Steinen auf. Kontrollieren Sie mit Hilfe einer Wasserwaage die waagrechte Ausrichtung der Reihe und die senkrechte Ausrichtung der Außenseiten.

Bau von Ziegelstufen

In einem abschüssigen und terrassierten Garten ist das Anbringen von Stufen erforderlich, um die Höhendifferenzen problemlos zu überbrücken. Den Stufen kommt neben dem praktischen Nutzen jedoch auch eine wichtige gestalterische Bedeutung im gesamten Gartenplan zu. Stimmen Sie das Stufenmaterial auf bereits verwendete Materialien bei Mauern oder Pflasterflächen an anderen Stellen ab. Die Trittflächen kann man hervorragend mit Pflasterplatten gestalten. Eine Vielzahl verschiedener Treppenführungen ist möglich, wenn man zwei terrassierte Bereiche über Stufen verbinden möchte. Die Treppe kann im rechten Winkel von einer Mauer herabführen oder parallel zu ihr verlaufen. Eine rechtwinkelige Treppenführung ist am einfachsten zu bauen. Halten Sie sich die Abmessungen des benötigten Materials bereits bei der Planung der Treppe vor Augen. Sowohl die waagrechte Trittstufe (Auftritt) als auch die senkrechte Setzstufe sollten entlang der gesamten Treppe Standardgrößen aufweisen. Die Setzstufe sollte im Idealfall nicht höher als 18 cm sein – zwei Ziegel und eine Pflasterplatte sind ideal –, während die Trittstufe eine Mindesttiefe (von hinten nach vorne) von 30 cm aufweisen sollte. Auf diese Weise kann man beim Hinauf- oder Heruntersteigen der Treppe nicht mit dem Fuß an der Setzstufe hängenbleiben. Die Kante des Auftrittes wirft einen Schatten auf die Setzstufe und ist somit deutlich zu erkennen, wenn Sie die Vorderseite leicht über die darunterliegende Setzstufe überstehen lassen.
Versehen Sie den Auftritt an der Vorderseite mit einer leichten Neigung nach unten. Verlegen Sie die Stufen auf einem stabilen Fundament. Die beste Lösung ist ein durchgehender Betonsockel, der etwas größer als der Grundriß der Treppenführung ist. Verankern Sie Treppen mit mehr als zwei oder drei Stufen direkt an der Mauer, an die sie gebaut werden soll, damit die beiden Elemente nicht auseinandergerissen werden, wenn sich der Untergrund absenkt. Wenden Sie hierzu die Technik des Lochverzahnens an, bei der jeweils ein Ziegelstein aus abwechselnden Reihen der Terrassenmauer entfernt wird. Mit Hilfe dieser Technik können die ganzen Ziegelsteine in den Seitenwänden der Stufen direkt in das Mauergefüge gemörtelt werden.

4 Bauen Sie Stützmauern auf der Innenseite. Sie können zu diesem Zweck alte Ziegelsteine verwenden, ein senkrechtes Verfugen ist nicht erforderlich.

5 Setzen Sie die zweite Stufe auf die Oberflächen der Seitenwände. Bringen Sie zwei Ziegelreihen an der inneren Stützmauer an, um damit den Auftrittrand der zweiten Stufe abzustützen.

6 Bringen Sie nun den Auftritt der ersten Stufe an. Tragen Sie ein großzügiges Mörtelbett auf, legen Sie die Platten darauf. Sie sollen ein Gefälle nach vorne aufweisen.

7 Fahren Sie bei der zweiten Stufe fort. Füllen Sie die Fugen zwischen den beiden Platten und an den Rückseiten, streichen Sie die Fugen glatt.

Wählen Sie als Belag für den Auftritt Platten mit einer strukturierten Oberfläche.

8 Verlegen Sie abschließend zwei Platten als Abschluß auf der Terrassenmauer. Lassen Sie die Kanten über den Mauerrand überstehen.

Bau von Holzstufen

Nicht alle Gärten sind eben, sondern weisen Abhänge und Böschungen zwischen höher- und tiefergelegenen Bereichen auf. Diese können so steil sein, daß sie sich nur mit Mühe begehen lassen. Solche Probleme lassen sich mit dem Bau einer Treppe beheben, bei der die Treppenführung dem natürlichen Gefälle des Geländes angepaßt wird. Man kann Treppen aus Ziegel- oder Pflastersteinen bauen und sie mit Pflasterplatten belegen, um damit die einzelnen Auftritte herzustellen. Für weniger formale Gärten bietet sich als Alternative der Bau von Holztreppen aus runden Holzstämmen, zersägten Dielen oder sogar aus alten Eisenbahnschwellen an. Stets erfolgt der Stufenbau nach der gleichen Methode, unabhängig vom gewählten Material. Holzstamm, Diele oder Eisenbahnschwelle stellen die Setzstufe dar, zur Befestigung dienen stabile, hölzerne Pflöcke, die tief in den Untergrund eingeschlagen werden. Anschließend können Sie weitere Stämme oder Schwellen hinter die Setzstufe legen und damit die jeweiligen Auftritte bauen, Sie können aber auch andersartige Materialien wie Kies oder Rindenmulch verwenden. Wenn Sie sich für eine lockere Füllung entscheiden, müssen Sie die Trittfläche seitlich mit festgenagelten Brettern begrenzen. Da sämtliche für den Treppenbau verwendeten Hölzer ständigen Kontakt mit dem Boden haben, müssen sie gründlich vor Verrottung und Insektenbefall geschützt werden. Kaufen Sie nach Möglichkeiten Hölzer, die mit einem Holzschutzmittel behandelt wurden, und bestreichen Sie sämtliche Schnittkanten nachträglich mit einem Imprägnierungsmittel.

Imprägnieren von Holz

Sie können geschälte Baumstämme im Gartenhandel kaufen und auf die gewünschte Länge zurechtschneiden.

Behandeln Sie die Schnittkanten und tragen Sie das gleiche Holzschutzmittel auf den restlichen Stamm auf, damit er eine einheitliche Färbung erhält.

1 Legen Sie zunächst die Lage der geplanten Treppe fest. Grenzen Sie Lage und Breite vorsichtig mit Pflöcken, gespannten Schnüren und einem querliegenden Holzstamm ab.

2 Stechen Sie den Rasen oder sonstigen oberflächlichen Bewuchs entlang des Abhanges zwischen den beiden Schnurreihen mit einem Spaten ab.

3 Tragen Sie so viel Erde an der Oberseite des Abhanges ab, bis der oberste als Setzstufe dienende Stamm bündig mit dem Rasen abschließt.

4 Legen Sie die untere Setzstufe quer über den Abhang und befestigen Sie diese mit zwei stabilen Holzpflöcken, die an beiden Seiten senkrecht in den Boden geschlagen werden.

7 Nageln Sie als Begrenzung für die Kies- oder Mulchfüllung zugeschnittene Weichholzbretter an den Seitenrand des Auftrittes.

5 Legen Sie den nächsten Querbalken auf den Hang und fixieren Sie ihn mit einem Befestigungspflock.

6 Die Unterseite des zweiten Balkens muß sich auf gleicher Höhe wie die Oberseite des ersten befinden. Nageln Sie den Balken an die Pflöcke.

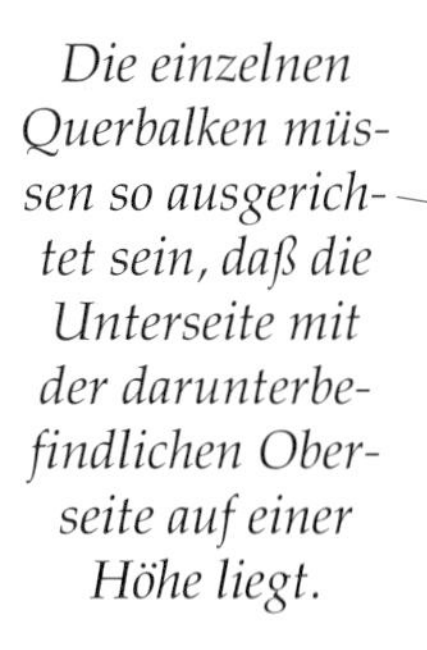

Die einzelnen Querbalken müssen so ausgerichtet sein, daß die Unterseite mit der darunterbefindlichen Oberseite auf einer Höhe liegt.

8 Befestigen Sie die restlichen Balken mit Pflöcken und Nägeln. Befestigen Sie die Randleisten mit Nägeln seitlich am ersten Auftritt und füllen Sie Kies oder Rindenmulch auf.

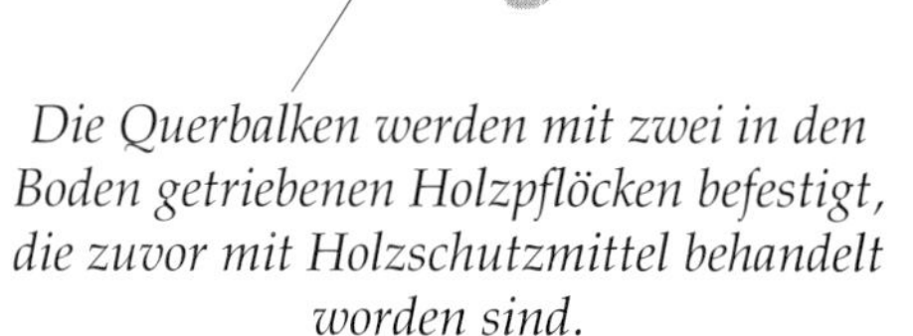

Die Querbalken werden mit zwei in den Boden getriebenen Holzpflöcken befestigt, die zuvor mit Holzschutzmittel behandelt worden sind.

9 Bringen Sie anschließend die Randleisten an den restlichen Auftritten an. Füllen Sie Kies oder Rindenmulch auf und stampfen Sie diesen fest.

Bau einer Pergola

1 Stellen Sie die beiden senkrechten Balken im empfohlenen Abstand auf. Kontrollieren Sie die exakte senkrechte Ausrichtung der Balken und die waagrechte Ausrichtung der jeweiligen Nut. Legen Sie nun einen glatten Seitenbalken in die Nut.

2 Richten Sie die Position des Seitenbalkens mittig aus, so daß auf beiden Seiten gleich lange Stücke überstehen. Klopfen Sie je einen verzinkten Nagel seitlich in die Ständer und fixieren Sie damit den Seitenbalken.

3 Bauen Sie die gegenüberliegende Seite der Pergola auf die gleiche Weise zusammen. Legen Sie einen Querbalken darauf und beachten Sie, daß die Nut exakt paßt.

Pergolen sind als Fertigbausätze in vielen verschiedenen Größen und Arten bei den meisten Gartencentern erhältlich. Sämtliche Teile sind zugeschnitten und ermöglichen dadurch eine schnelle Montage, das Holz ist imprägniert. Wenn Sie die Pergola lieber nach Ihren eigenen Vorstellungen bauen möchten, können Sie das Holz kaufen und es auf die erforderliche Größe zurechtschneiden. Selbstgebaute Ausführungen sind natürlich billiger als ein fertiger Bausatz und gestatten zudem mehr Flexibilität.

Die wichtigste Aufgabe beim Bau ist die sichere Verankerung der senkrechten Ständer im Boden, unabhängig davon, für welche Variante Sie sich nun entschlossen haben. Sie können die Technik anwenden, die auf den Seiten 54 und 55 zum Aufstellen von Zaunpfosten beschrieben wurde. Hierbei können Sie entweder einen Metallsockel wie bei Zäunen verwenden und diesen in der Erde versenken oder ungefähr ein Viertel der Ständerlänge einbetonieren. Für die erstgenannte Technik benötigt man kürzere Ständer, gleichzeitig senkt man dabei das Verrottungsrisiko, da die Balken keinen direkten Bodenkontakt haben. Mit der zweiten Methode kann man hingegen eine wesentlich stabilere Befestigung erreichen.

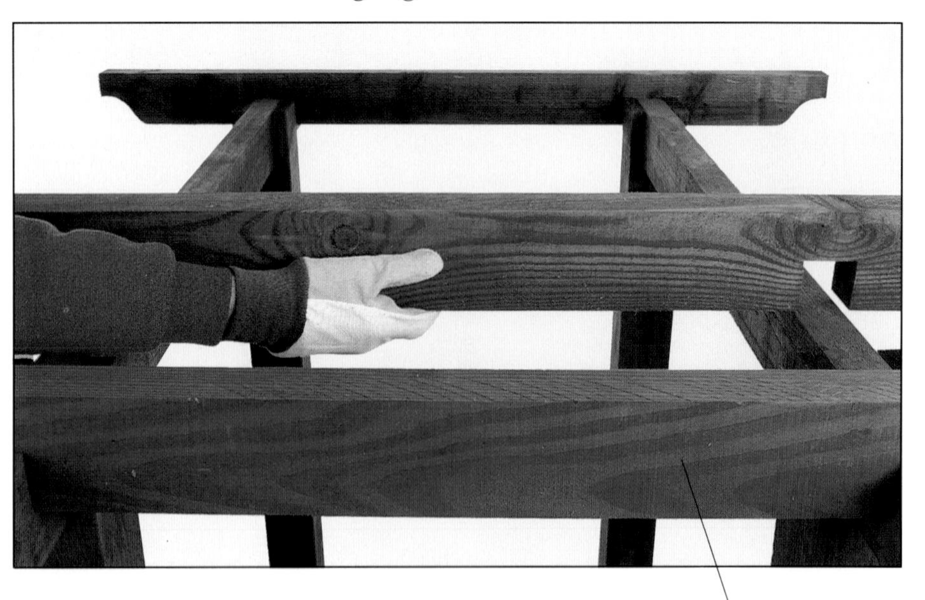

4 Bringen Sie den zweiten Querbalken an der gegenüberliegenden Seite mit dem gleichen Randabstand an. Passen Sie die beiden restlichen Balken in der gleichen Weise an.

Der Abstand zwischen den vier Balken soll die gleiche Breite aufweisen.

Links: *Eine Pergola kommt zur Geltung, wenn sie völlig in die Vegetation Ihres Gartens eingebettet ist. Dann spendet sie auch kleine, durch ihr Blätterdach erzeugte, Schatteninseln. Hier rankt ein Wein über das Pergolagerüst, seitlich stehen zwei Koniferen,* Berberis *und* Phormium *in Kübeln.*

Behandeln Sie den äußeren Rahmen und die obere Überdachung der Pergola mit einem dunkleren Holzschutz.

5 Prüfen Sie, ob alle Teile korrekt ausgerichtet sind. Befestigen Sie die Querbalken mit Nägeln am Seitenbalken, so daß das Gerüst sicher verzahnt ist.

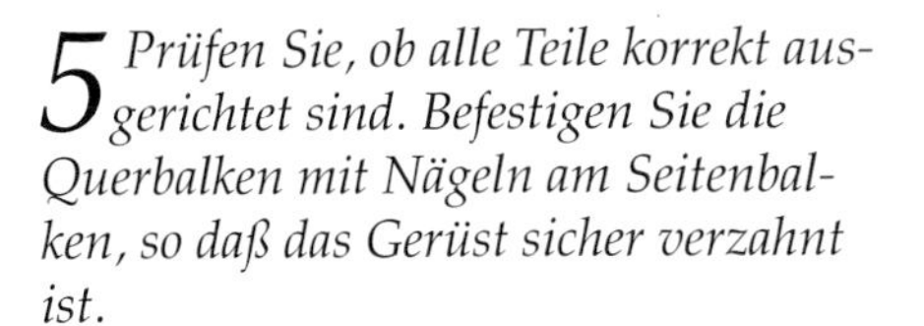

6 Passen Sie das Holzgitter zwischen die beiden Ständerbalken ein. Befestigen Sie das Gitter mit Nägeln.

7 Bringen Sie das zweite Gitter an der gegenüberliegenden Seite an. Die Pergola ist jetzt fertig und kann als Kletterhilfe für Pflanzen verwendet werden.

Bringen Sie die Gitter so hoch an, daß sie nicht mit Regenspritzern und feuchter Erde in Berührung kommen können.

Bau eines Sitzplatzes

Beim Thema Gartensitzplätze denken viele Menschen entweder an traditionelle Holzstühle und -bänke oder an moderne, leichte Gartenmöbel. Tragbare Objekte müssen vor dem ersten Gebrauch aufgestellt und am Sommerende an einem geschützten Ort aufbewahrt werden, wenn sie nicht mehr gebraucht werden, während traditionelle Stücke in zunehmendem Maße ein begehrtes Objekt von Dieben sind. Eine billige und diebstahlsichere Möglichkeit besteht darin, einen individuellen Gartensitz aus Ziegelsteinen, Mörtel und imprägniertem Holz zu bauen. Sie können den Sitzplatz natürlich an jeder beliebigen Stelle im Garten anbringen, im Idealfall sollten man auf ihm die letzten Sonnenstrahlen genießen können. Eine schlichte Bank besteht aus zwei Sützpfeilern aus Ziegelsteinen, wobei kein Zuschneiden der Steine erforderlich ist, und einer mit Leisten versehenen Sitzfläche, die unauffällig am Mauerwerk festgeschraubt wird. Mit wenig Aufwand kann man damit einen robusten Sitzplatz schaffen, der überraschend bequem ist. Sie können ihn direkt auf eine vorhandene geplasterte oder betonierte Fläche bauen. Wenn Sie ihn jedoch in der Rasenfläche anbringen wollen, müssen Sie für das Mauerwerk zunächst ein stabiles Fundament in Form von zwei Pflasterplatten auf festgestampftem Untergrund legen. Wählen Sie die Ziegelsteine passend zu den anderen für den Hausbau verwendeten Ziegel, sofern der Sitzplatz in Hausnähe, zum Beispiel auf der Terrasse, aufgestellt werden soll. Sie können statt dessen aber auch Mauersteine einsetzen und damit einen eher rustikalen Sitzplatz gestalten, falls dieser in einigem Abstand zum Haus geplant ist. Sie können das Holz mit einem naturfarbenen Anstrich behandeln (der mit einem Holzschutzmittel gegen Verrottung versehen ist) oder es in einer beliebigen Farbe streichen, wenn Sie eine farbige Oberfläche bevorzugen.

1 Bauen Sie die Stützpfeiler, indem Sie in jeder Reihe zwei Ziegel nebeneinander und einen dritten Ziegel um 90° versetzt dahinter legen.

2 Legen Sie die Breite der Bank fest und bauen Sie den zweiten Pfeiler auf die gleiche Weise. Überprüfen Sie mit Wasserwaage und Setzlatte, ob die beiden Pfeiler exakt die gleiche Höhe aufweisen.

3 Schneiden Sie als seitliche Befestigung für die Sitzfläche 5 cm dicke Vierkanthölzer zurecht, die etwas länger als die Ziegelkanten sind. Befestigen Sie je eine Latte an den Außenseiten der Pfeiler.

4 Schneiden Sie zwei Holzlatten zurecht und befestigen Sie diese an den Enden der Befestigungshölzer. Sie sind bei der fertigen Bank nicht mehr sichtbar und werden von den überstehenden Latten verdeckt.

5 Schrauben Sie die erste Auflagenlatte auf der vorderen Rahmenleiste fest. Legen Sie einen Abstandhalter an und plazieren Sie die zweite Latte. Versenken Sie sämtliche Schraubenköpfe.

6 Befestigen Sie die Latten an den Rahmenleisten, nehmen Sie den Abstandhalter zu Hilfe. Bohren Sie die Löcher an einer Latte vor und verwenden Sie diese als Muster.

Andere Sitzplätze

Der abgebildete Sitzplatz ist bestens fürs Freie geeignet, da das Regenwasser zwischen den Spalten abfließen kann. Wer eine durchgehende Sitzfläche bevorzugt, kann die Latten fugenfrei verlegen, mit einem wasserfesten Holzleim verkleben und am Befestigungsrahmen festschrauben. Wählen Sie den Abstand für eine größere Sitzbank entsprechend größer, verwenden Sie für die beiden äußeren Befestigungsstücke 7 cm dicke Rundkanthölzer und für die Sitzfäche selbst dickere Holzlatten, damit diese nicht durchbrechen kann.

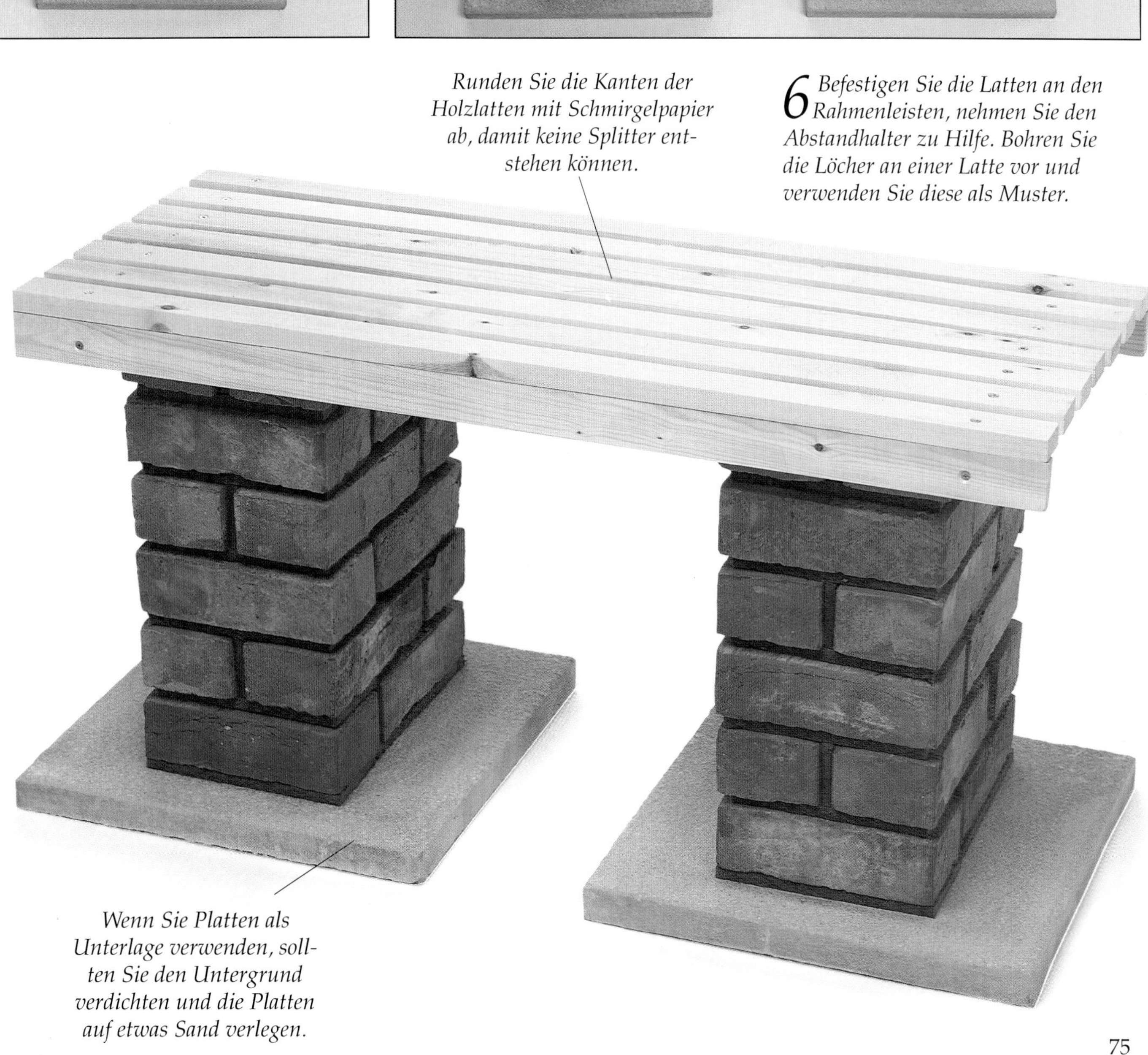

Runden Sie die Kanten der Holzlatten mit Schmirgelpapier ab, damit keine Splitter entstehen können.

Wenn Sie Platten als Unterlage verwenden, sollten Sie den Untergrund verdichten und die Platten auf etwas Sand verlegen.

7 Bestreichen Sie den fertigen Sitzplatz mit zwei Schichten eines durchsichtigen Holzschutzmittels, um Verrottung und Insektenbefall in Grenzen zu halten. Sie können auch Holzfarbe oder Beize verwenden, wenn Sie eine farbige Sitzfläche bevorzugen.

Sitzplätze im Garten

In keinem Garten sollte ein Sitzplatz fehlen. Die Art des gewählten Sitzplatzes hängt ganz von Ihrem Geschmack ab, Sie können eine schlichte Gartenbank in einem abgelegenen Winkel des Gartens bevorzugen oder aber die Sitzgelegenheit zu einem Hauptelement Ihres Gartenplans machen. Für sämtliche Möglichkeiten bietet sich Holz als idealer Werkstoff an, da er einfach zu bearbeiten ist, eine warme Unterlage darstellt und zudem nach einem Regenschauer schnell wieder trocknet. Widerstandsfähige Harthölzer sind relativ teuer, während die billigeren Weichhölzer selbst nach einer Behandlung mit Imprägniermittel im Laufe der Zeit verrotten. Wenn Sie sich für Holz entschieden haben, können Sie die Sitzplätze nach Ihren eigenen Entwürfen bauen oder aber vorgefertigte Bänke sowie Sitzgelegenheiten kaufen. Einfachere Ausführungen – ein Holzbrett auf zwei Stützpfeilern – sind ideal für eine kurze „Verschnaufpause". Reichverzierte Plätze mit Rücken- und Armlehnen erfüllen hingegen die eher gehobenen Ansprüche. Gemauerte Sitzflächen bestehen aus Pflasterplatten, die in ein Frühbeet oder Stützmauern eingebaut werden. Man kann diesen Platz jedoch nur im Sommer verwenden, da der Stein stets kalt ist und die Feuchtigkeit speichert. Sie sollten die Lage des Sitzplatzes in jedem Fall sorgfältig überdenken und so plazieren, daß er harmonisch in den Gartenplan integriert ist und gleichzeitig einen reizvollen Blickfang darstellt.

Eine Baumbank

1 Vorgefertigte Elemente für eine Baumbank aus Holz setzen keine umfangreichen handwerklichen Fertigkeiten voraus.

2 Verwenden Sie als stabile Unterlage für die Füße abgerundete Trittsteine. Legen Sie diese in Baumnähe auf den Boden und markieren Sie die Umrisse mit einer Kelle.

3 Stechen Sie den Rasen aus, verdichten Sie den Untergrund und bringen Sie in der Mulde ein Sandbett an.

Oben: *Selbst im kleinsten Garten ist Platz für ein schlichtes Sitzbrett. Die senkrechten Pfosten können einfach in den Boden gehämmert werden, das Sitzbrett wird anschließend mit Nägeln darauf befestigt.*

Links: *Eine kleine Aussparung in einer Befestigungsmauer aus Rundhölzern dient als schlichter Sitzplatz. Die Platte liegt auf kürzeren Pfosten an der Vorder- und Hinterseite.*

Rechts: *Der Schaukelsitz wird an einer Pergola aufgehängt.*

4 Stellen Sie das erste Teil der Sitzelemente auf die entsprechenden Steine. Bei Bedarf können Sie die Steine leicht heben oder senken.

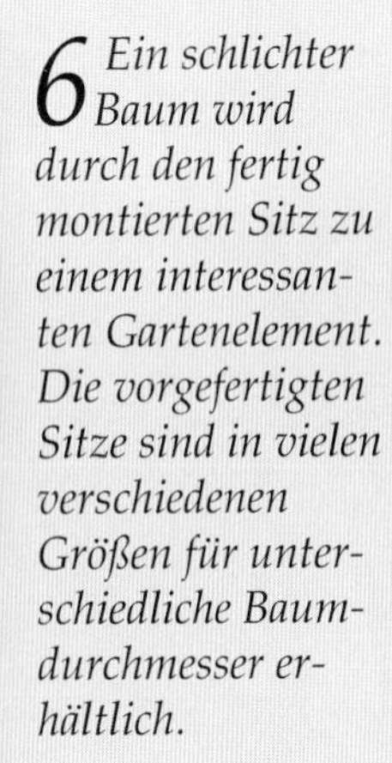

5 Stecken Sie die Schrauben in die vorgeformten Löcher. Legen Sie vor dem Festziehen eine Unterlegscheibe unter.

6 Ein schlichter Baum wird durch den fertig montierten Sitz zu einem interessanten Gartenelement. Die vorgefertigten Sitze sind in vielen verschiedenen Größen für unterschiedliche Baumdurchmesser erhältlich.

Bau eines Frühbeetes

Ein Frühbeet ist in jedem Garten eine hilfreiche Einrichtung. Im wesentlichen setzt es sich aus einer Holzkiste ohne Boden und einem verglasten Deckel zusammen. Es wird als Miniaturgewächshaus eingesetzt, um Samen und Stecklingen zu ziehen oder um zarte, unter Folie gezogene Pflänzchen abzuhärten, bevor sie endgültig ins Freiland ausgepflanzt werden. Man kann das Frühbeet auf eine feste Fläche, zum Beispiel eine Terrasse und einen Weg oder direkt auf den Boden stellen. Ein Frühbeet läßt sich leicht selber bauen, wobei bereits die gewünschte Größe beruchsichtigt werden kann. Sie können für das gesamte Frühbeet Weichholz verwenden oder das Unterteil aus Ziegeln bauen und lediglich den Deckel mit einem Holzrahmen versehen. Der Deckel kann zwar mit Glas bestückt werden, sicherer in der Handhabung sind jedoch durchsichtige Materialien aus Kunststoff. Befestigen Sie den Deckel mit einem Scharnier am Unterteil und bringen Sie an der Vorderkante einen einfachen Verschluß an, damit sich der Deckel tagsüber zum Belüften öffnen und nachts verschließen läßt. Andernfalls könnte starker Wind den Deckel heben und ihn beschädigen. Wenn Sie einen größeren Bereich zum Bepflanzen und Aufziehen benötigen und das Frühbeet nicht mehr ausreicht, können Sie einfach bei Bedarf weitere Gestelle an das Grundelement anschließen. Stellen Sie den fertig montierten Rahmen an einen sonnigen Ort, an dem er vor starkem Wind geschützt ist. Decken Sie das Beet in kalten Nächten mit Sackleinen oder einem alten Teppich ab, um Wärmeverluste auf ein Minimum zu reduzieren.

Sägen Sie entlang der Markierung und halten Sie die Säge dabei waagrecht.

1 Schneiden Sie die Holzbretter für Vorder-, Rück- und Seitenteile in der erforderlichen Größe zurecht. Bringen Sie an den beiden seitlichen Abschlußbrettern diagonale Linien an.

2 Schneiden Sie die vorderen Stützpfosten zurecht; ihre Höhe entspricht der Breite von zwei Brettern sowie dem schmaleren Ende des Abschlußbrettes. Befestigen Sie die beiden unteren Bretter mit Schrauben an einem Pfosten.

3 Verzahnen Sie die Nut des zweiten Brettes mit der Feder des ersten. Klopfen Sie das Brett entlang der Längsseite nach unten, bis die Fuge völlig geschlossen ist. Verschrauben Sie das Brett wie zuvor an dem Stützpfosten.

4 Schneiden Sie die hinteren Stützpfosten zurecht; ihre Höhe entspricht der Breite von zwei ganzen Brettern sowie dem höheren Ende des Abschlußbrettes.

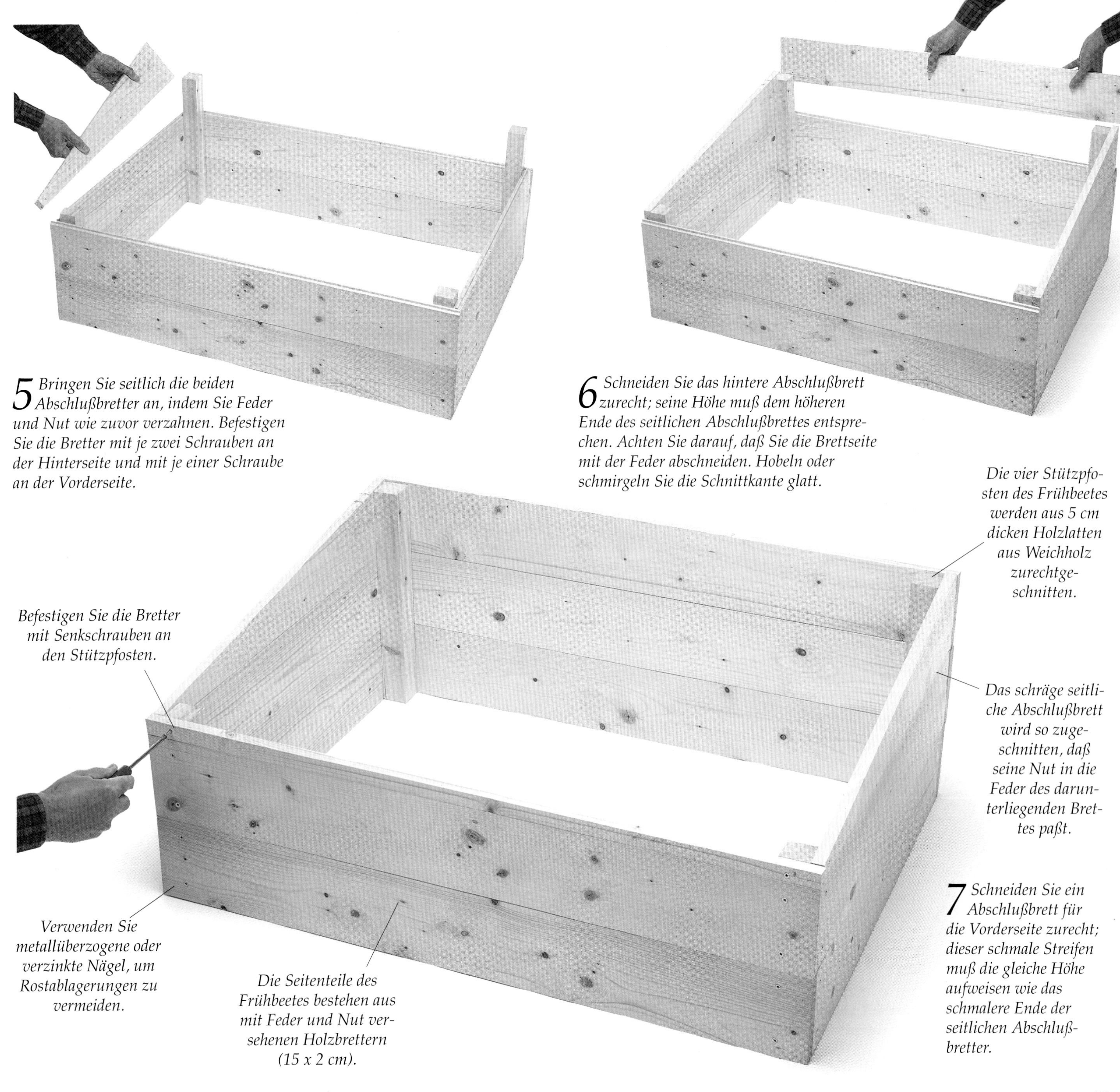

5 Bringen Sie seitlich die beiden Abschlußbretter an, indem Sie Feder und Nut wie zuvor verzahnen. Befestigen Sie die Bretter mit je zwei Schrauben an der Hinterseite und mit je einer Schraube an der Vorderseite.

6 Schneiden Sie das hintere Abschlußbrett zurecht; seine Höhe muß dem höheren Ende des seitlichen Abschlußbrettes entsprechen. Achten Sie darauf, daß Sie die Brettseite mit der Feder abschneiden. Hobeln oder schmirgeln Sie die Schnittkante glatt.

7 Schneiden Sie ein Abschlußbrett für die Vorderseite zurecht; dieser schmale Streifen muß die gleiche Höhe aufweisen wie das schmalere Ende der seitlichen Abschlußbretter.

Der Deckel des Frühbeetes

1 Messen Sie als ersten Schritt bei der Montage des verglasten Deckels für das Frühbeet die Breite und Tiefe des Unterteiles ab. Fertigen Sie den Deckel aus glattgehobeltem, 2,5 x 5 cm starkem Weichholz.

2 Schneiden Sie die Bestandteile zurecht. Die beiden Seitenteile überlappen die Schnittenden von Vorder- und Rückteil. Bohren Sie die Schraubenlöcher vor und fräsen Sie diese aus. Verschrauben und verkleben Sie den Rahmen.

3 Legen Sie den zusammengebauten Rahmen auf das Verglasungsmaterial – hier doppelwandiges Polykarbonat, eine feste und stabile durchsichtige Plastikplatte. Ziehen Sie die Umrisse mit einem Filzstift deutlich sichtbar nach.

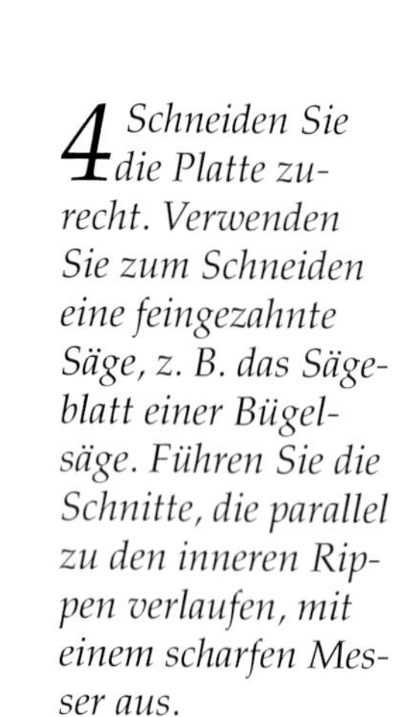

4 Schneiden Sie die Platte zurecht. Verwenden Sie zum Schneiden eine feingezahnte Säge, z. B. das Sägeblatt einer Bügelsäge. Führen Sie die Schnitte, die parallel zu den inneren Rippen verlaufen, mit einem scharfen Messer aus.

5 Befestigen Sie an den Seitenkanten des Deckels 2,5 x 5 cm große Weichholzstücke mit Klebstoff und Schrauben, um die Kanten der Polykarbonatplatte zu schützen.

6 Legen Sie den Deckel zum Anpassen der Scharniere auf das Unterteil. Bringen Sie diese in einem Abstand von ungefähr 23 cm von der Innenkante entfernt an.

7 Behandeln Sie Unterteil und Deckel mit zwei Schichten eines Holzschutzmittels und lassen Sie den Anstrich bei geöffnetem Deckel trocknen. Vergewissern Sie sich beim Kauf des Mittels, daß es unschädlich für Pflanzen ist.

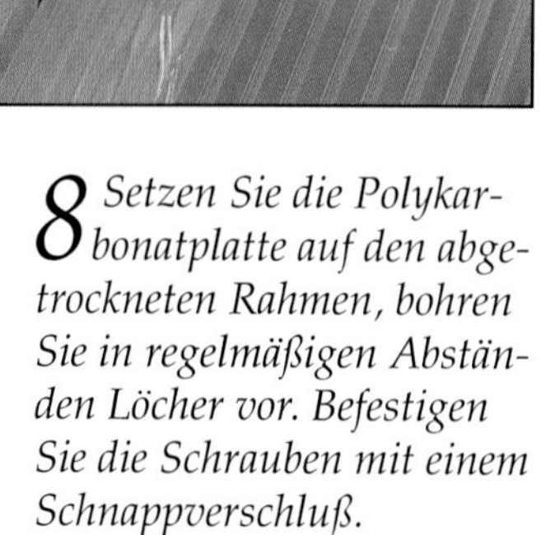

8 Setzen Sie die Polykarbonatplatte auf den abgetrockneten Rahmen, bohren Sie in regelmäßigen Abständen Löcher vor. Befestigen Sie die Schrauben mit einem Schnappverschluß.

Sie können spezielles Klebeband kaufen, um die scharfen Ränder der Polykarbonatplatte abzukleben.

Dieses grüne Holzschutzmittel ist unschädlich für Pflanzen.

9 Bringen Sie sämtliche Schrauben an und überprüfen Sie, ob alle Schnappverschlüsse fest verschlossen sind.

Bau eines Pflanzgefäßes aus Holz

Das Bepflanzen eines erhöht stehenden Pflanzgefäßes hat gegenüber der bodennahen Gartenarbeit zahlreiche Vorteile. Da sich die von Ihnen gewählte Bepflanzung in einem separaten Behälter befindet, läßt sich ein übermässiges Wuchern starkwüchsiger Arten besser kontrollieren. Auch das Wachstum von Unkraut kann man in Schach halten, sofern es überhaupt die Möglichkeit hat, in einem reich bestückten Container zu gedeihen. Sie können das Pflanzgefäß nach Belieben verstellen und bei Bedarf in die Sonne oder den Schatten stellen. Mit Hilfe mehrerer Behälter kann man die freie Fläche einer großen Terrasse strukturieren. Sie können die verschiedenartigsten Pflanzgefäße verwenden. Holzgefäße können Sie nach der hier dargestellten Technik in praktisch jeder Form und Größe zusammenbauen, angefangen von einem schmalen Blumenkasten bis hin zu einem großen dekorativen quadratischen oder rechteckigen „Prunkstück". Ein ideales Material für die Seitenwände des Pflanzgefäßes sind mit Feder und Nut versehene Holzlatten. Sie können einfach beliebig viele Latten zusammensetzen, bis das Gefäß die gewünschte Höhe erreicht hat. Einen glatten, rechteckigen Abschluß erhält man auf problemlose Weise, wenn man an den obersten Brettern jeweils die Feder entfernt. Die Stützpfosten auf der Innenseite stellen die Ecken des Behälters dar. Darüber hinaus weist er eine herausnehmbare Bodenplatte auf; sie liegt auf Holzleisten auf, die an der Innenseite der Seitenwände befestigt sind. In die Bodenplatte werden zudem einige Abzugslöcher hineingebohrt, damit ein ausreichender Wasserabfluß gewährleistet ist.

1 Legen Sie die genaue Abmessung des Pflanzgefäßes fest und schneiden Sie genügend Holzstücke für die vier Seitenwände zurecht.

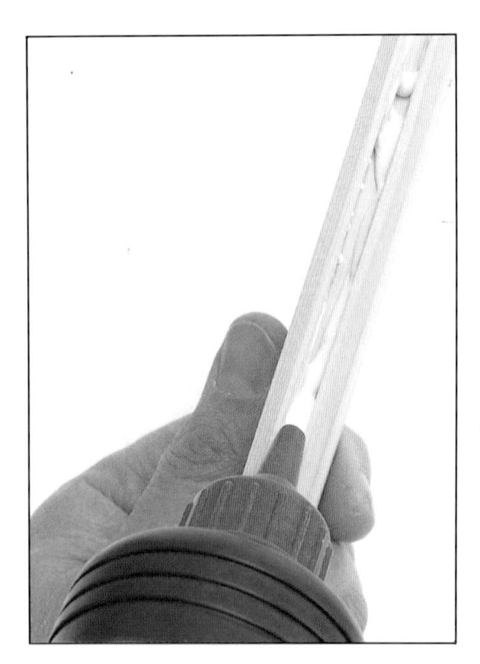

2 Setzen Sie die Seitenwände zusammen, indem Sie die Kanten der Bretter verzahnen. Es empfiehlt sich, die Bretter mit einem wasserfesten Holzleim zu verleimen.

3 Setzen Sie die Seitenwände aus Brettern zusammen, verdichten Sie Feder und Nut mit Hilfe eines Hammers und eines restlichen Holzstückes.

4 Bauen Sie zunächst die kurzen Seiten des Behälters zusammen. Schneiden Sie dafür zwei Eckpfosten zurecht, befestigen Sie die Seitenwände mit Leim und Nägeln am Pfosten.

5 Verwenden Sie für jedes Brett zwei Nägel. Sie können die Löcher nachträglich mit einer freilandtauglichen Holzspachtelmasse füllen.

6 Als Unterlage für die Bodenplatte dienen schmale Holzleisten, die mit Leim und Nägel an der Innenseite der Seitenwände befestigt werden. Sie sollen bündig mit der Bodenkante abschließen. Schneiden Sie zunächst die beiden Leisten für die kurzen Wände zurecht und befestigen Sie diese.

7 Legen Sie die lange Seitenwand des Pflanzgefäßes auf eine ebene Fläche und stellen Sie die beiden fertigen kurzen Teile so daneben, daß ihre Außenflächen mit den Enden der Seitenwand abschließen. Messen Sie den Abstand zwischen den Eckpfosten.

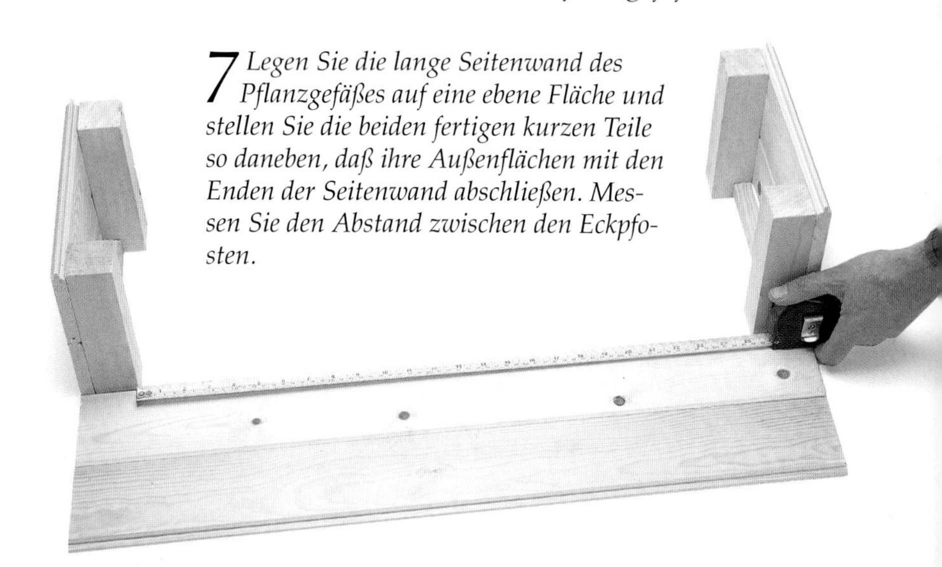

Schneiden Sie die Holzleisten für die Bodenplatte zurecht und befestigen Sie diese an der Innenseite der beiden langen Seitenwände auf die gleiche Weise, wie in Schritt 6 beschrieben.

8 Fahren Sie mit dem Zusammenbau des Pflanzgefäßes fort, indem Sie die Seitenwände mit den beiden kurzen Teilen verleimen. Da Sie in diesem Stadium nur Leim verwenden, können Sie die Fugen an den Kanten noch nachträglich exakt ausrichten und die rechteckige Ausrichtung des Gebildes kontrollieren.

9 Lassen Sie den Leim kurze Zeit trocknen. Nageln Sie die Seitenwände an den Eckpfosten fest und klopfen Sie die Nagelköpfe ins Holz.

Verleihen des letzten Schliffes

Nachdem Sie die Wände des Pflanzgefäßes fertiggestellt haben, ist es an der Zeit, die Bodenplatte anzupassen – sie besteht aus einem Stück freilandtauglichem Sperrholz. Auch wenn sie relativ locker in das Pflanzgefäß hineinpaßt, sollten Sie einige Abzugslöcher hineinbohren, damit sich keine Staunässe bilden kann. Hierzu können Sie die Kante glatthobeln oder zurechtgeschnittene Holzstreifen daraufsetzen. Bauen Sie das Pflanzgefäß komplett zusammen und bestreichen Sie es mit zwei Schichten einer mikroporösen Farbe oder eines haltbaren Holzlackes. Legen Sie auf jedes Abzugsloch einen Kieselstein, damit es nicht mit Erde verstopft, und füllen Sie anschließend ein geeignetes Erdegemisch in das Pflanzgefäß. Sie können den Behälter entweder als Blumenkasten verwenden und auf das Fensterbrett stellen, sofern dieses tief genug ist. Legen Sie Keile unter, falls der Behälter nicht ganz waagrecht steht. Andererseits können Sie aber auch einfache, dreieckige Halterungen aus Sperrholz fertigen und sie zur Unterstützung des Kastens in die Wand schrauben.

1 Markieren Sie zunächst die Umrisse der Bodenplatte. Stellen Sie hierzu das Pflanzgefäß umgekehrt auf die Sperrholzplatte und ziehen Sie die Konturen an der Innenseite nach.

Verwenden Sie für die Bodenplatte des Gefäßes nur freilandtaugliches Sperrholz.

2 Ziehen Sie die Bleistiftlinien weiter, bis sie sich an den Ecken kreuzen, und schneiden Sie die entstandenen Rechtecke heraus. Entfernen Sie die Holzstücke an sämtlichen Ecken mit einem Fuchsschwanz, so daß die Bodenplatte gut an die Eckpfosten paßt.

3 Bringen Sie in regelmäßigem Abstand einige Löcher an, verwenden Sie hierzu eine Bohrmaschine mit flacher Holzbohrerspitze. Durchbohren Sie auch das darunterliegende Holzstück etwas.

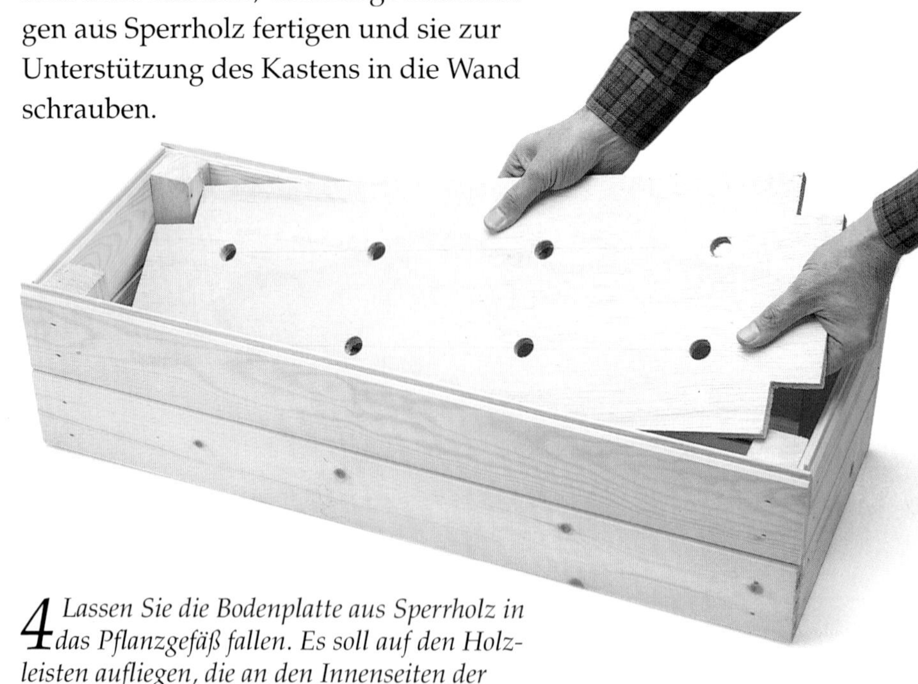

4 Lassen Sie die Bodenplatte aus Sperrholz in das Pflanzgefäß fallen. Es soll auf den Holzleisten aufliegen, die an den Innenseiten der Seitenwände befestigt sind. Sie können die Platte mit Nägeln und Leim befestigen, wenngleich dies nicht unbedingt erforderlich ist.

5 Man kann einen sauberen Randabschluß an den Seitenwänden herstellen, indem man – wie hier dargestellt – einige schmale Holzstreifen zurechtschneidet und ihre Nut mit Leim an der Feder der darunterliegenden Bretter befestigt.

Rechts: Sie können ein kleines Pflanzgefäß nach Belieben auf Wandhalterungen unterhalb des Fensters aufstellen. Bringen Sie die Halterungen unterhalb der Eckpfosten an und verschrauben Sie diese sicherheitshalber mit dem Pflanzgefäß.

6 Das Pflanzgefäß benötigt keinen weiteren Anstrich, wenn Sie zum Bau imprägniertes Holz verwendet haben.

Bau eines Futterplatzes für Vögel

Befestigung des Futterplatzes

Der Futterplatz steht sicher, wenn der Pfosten in einem Sockel verankert wird. Dieser hat die Form eines offenen, ca. 23 cm langen Hohlzylinders, der etwas größer als der Pfostenquerschnitt sein soll. Graben Sie ein Loch, legen Sie auf den Boden eine Dränageschicht aus Kies und setzen Sie den Zylinder mit etwas Zement ein. Bedecken Sie die Stelle nach dem Erhärten mit Erde oder Rasen und bringen Sie den Pfosten an.

Den Großteil des Jahres über finden die Vögel in Ihrem Garten selbst genügend Nahrung. Besonders gut lassen sich die Freßgewohnheiten der Vögel studieren, wenn Sie einen Futterplatz aufstellen; gleichzeitig stellt dies für die Vögel im Winter eine willkommene Bereicherung des geringen Futterangebotes dar. Hierfür ist durchaus keine aufwendige Konstruktion notwendig, sondern es genügt eine einfache Plattform mit einem höherstehenden Rand, der ein Herunterwehen des Futters verhindert. Vermutlich finden Sie sogar in Ihrer Werkstatt geeignete Holzreste, aus denen sich ein solcher Platz herstellen läßt. Er besteht aus einer quadratischen, freilandtauglichen Sperrholzplatte, an deren Rand 2,5 cm dicke Weichholzleisten mit Nägeln befestigt werden. Es empfiehlt sich, in einer Ecke einen kleinen Spalt auszusparen, damit man Futterreste von Zeit zu Zeit herunterkehren kann. Als Befestigung dient ein Holzpfosten, der an zwei seitlich anliegenden Klötzen aus Abfallholz an der Unterseite mit Schrauben befestigt wird. Schließlich muß der Futterplatz noch mit einem wasserhaltigen Holzschutzmittel behandelt werden. Darüber hinaus können Sie am Rand Haken anbringen und daran zusätzliche Futtersäulen aufhängen. Sie können den Futterplatz nach Belieben frei aufstellen, indem Sie an den Pfosten einige Füße anbringen; eine derartige Konstruktion wird jedoch an windigen Tagen leicht umgeweht. Mehr Stabilität erhält der Futterplatz, wenn Sie den Pfosten in einem im Boden befindlichen Sockel verankern (siehe Kästchen).

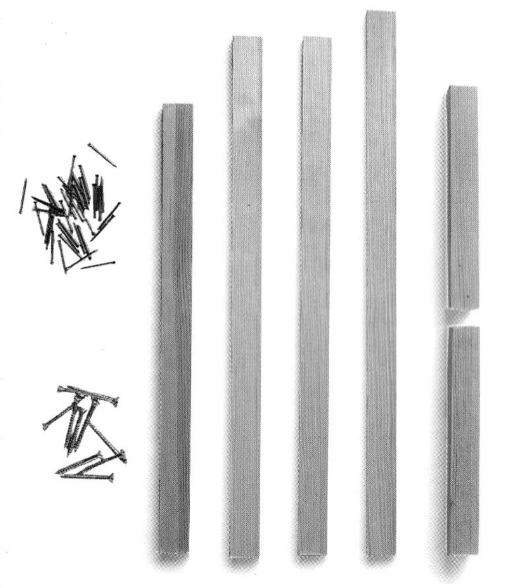

1 Zum Bau eines solchen Futterplatzes benötigen Sie eine freilandtaugliche Sperrholzplatte, vier Stücke Vierkanthölzer (2,5 cm dick) für den Rand, zwei Holzklötze (2,5 x 5 cm) zur Befestigung des Pfostens, einen Pfosten sowie einige Nägel und Senkschrauben.

Der Pfosten kann aus gehobeltem oder gesägten Holz bestehen. Stellen Sie ein Ende zuerst ins Holzschutzmittel, wenn der Pfosten im Boden versenkt werden soll.

2 Schneiden Sie die Randleisten zurecht und befestigen Sie diese mit Nägeln nacheinander an der Sperrholzplatte. Wählen Sie das letzte Randstück kürzer als die anderen.

3 Markieren Sie die Mitte der Bodenplatte durch zwei diagonale Linien. Stellen Sie den Pfosten in die Mitte und legen Sie die Befestigungsklötze daneben. Markieren Sie deren Lage und bohren Sie Löcher vor.

4 Fixieren Sie beide Befestigungsklötze an der Unterseite der Platte. Tragen Sie Holzleim auf eine Kante auf und drücken Sie diese auf die markierte Stelle. Die Klötze sollten mit den Bleistiftkonturen übereinstimmen.

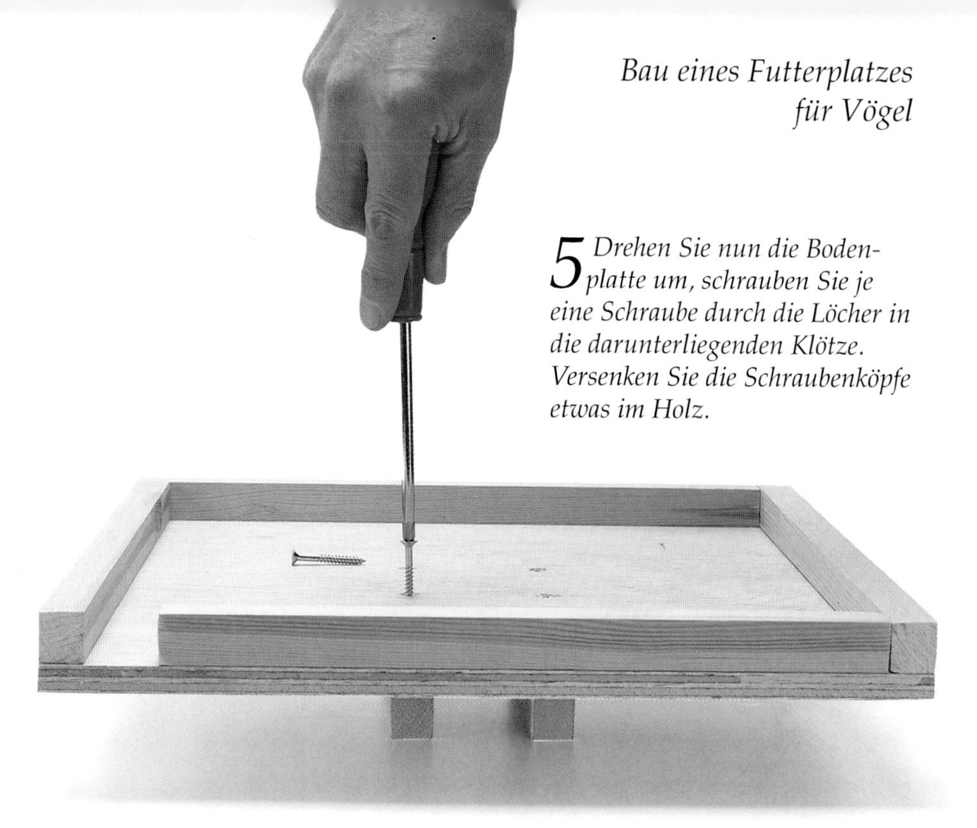

5 Drehen Sie nun die Bodenplatte um, schrauben Sie je eine Schraube durch die Löcher in die darunterliegenden Klötze. Versenken Sie die Schraubenköpfe etwas im Holz.

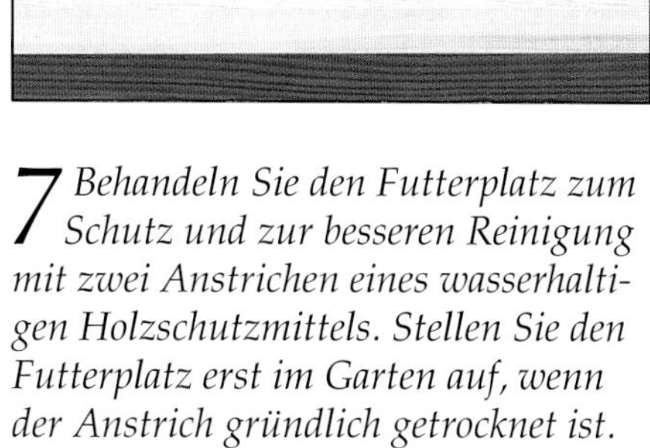

6 Bringen Sie den Pfosten zwischen den Klötzen an. Kontrollieren Sie mit Hilfe eines Winkels, ob sich Platte und Pfosten im rechten Winkel zueinander befinden. Schrauben Sie den Pfosten an den Klötzen fest.

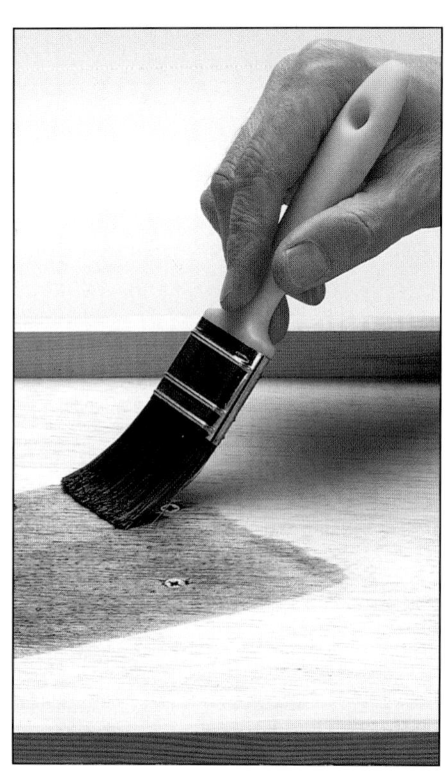

7 Behandeln Sie den Futterplatz zum Schutz und zur besseren Reinigung mit zwei Anstrichen eines wasserhaltigen Holzschutzmittels. Stellen Sie den Futterplatz erst im Garten auf, wenn der Anstrich gründlich getrocknet ist.

8 Streuen Sie verschiedene Futtersorten aus, um möglichst viele Vogelarten anzulocken. Nuß- und Samenmischungen sind überall in Zoohandlungen erhältlich. Zusätzlich können Sie Futtersäulen an den am Rand befindlichen Haken aufhängen.

Bau eines Nistkastens

Verwenden Sie ein Stück eines 15 cm breiten Sperr- oder Weichholzes.

1 Markieren Sie die Bestandteile des Kastens auf Weich- oder Sperrholz. Dieser Kasten wird an der Vorderseite eine Höhe von 20 cm und an der Rückseite 25 cm aufweisen.

Wie auch immer Ihr Garten bepflanzt sein mag, er wird in jedem Fall Vögel anlocken. Im Rahmen ihrer Futtersuche befreien die Vögel den Garten von vielen Insektenplagen. Sie können die Vögel unter Umständen zum Längerbleiben bewegen, wenn Sie ihnen eine sicherliche „Unterkunft" anbieten. Da Vögel an den ungewöhnlichsten Stellen nisten, wird sie ein Nistkasten mit ungewöhnlichem Aussehen kaum beeindrucken. Sie benötigen eine einfache Höhle, die ihnen Schutz vor Wind und Wetter sowie vor Feinden bietet. Sie muß ein schlichtes, geneigtes Dach zum besseren Abfließen von Regenwasser und an der Vorderseite ein Flugloch aufweisen. Da der Durchmesser des Flugloches darüber entscheidet, welche Vogelart den Nistenkasten besiedelt, sollten Sie ihn auf die am häufigsten im Garten vorkommenden Arten abstimmen. Der Standort ist eher nebensächlich, so lange der Nistkasten sicher befestigt ist und den Vögeln ein gewisses Maß an Abgeschiedenheit zusichert. Es empfiehlt sich, ihn nicht zu nahe am Haus oder in der Nähe eines Futterplatzes im Garten anzubringen. Stören Sie die Vögel nicht, wenn Sie den Kasten besetzt haben, und warten Sie, bis die Jungvögel ausgeflogen sind. Entfernen Sie nun den Deckel und nehmen Sie das alte Nest heraus, da dies von Schädlingen befallen sein kann und künftige Bewohner schädigen könnte.

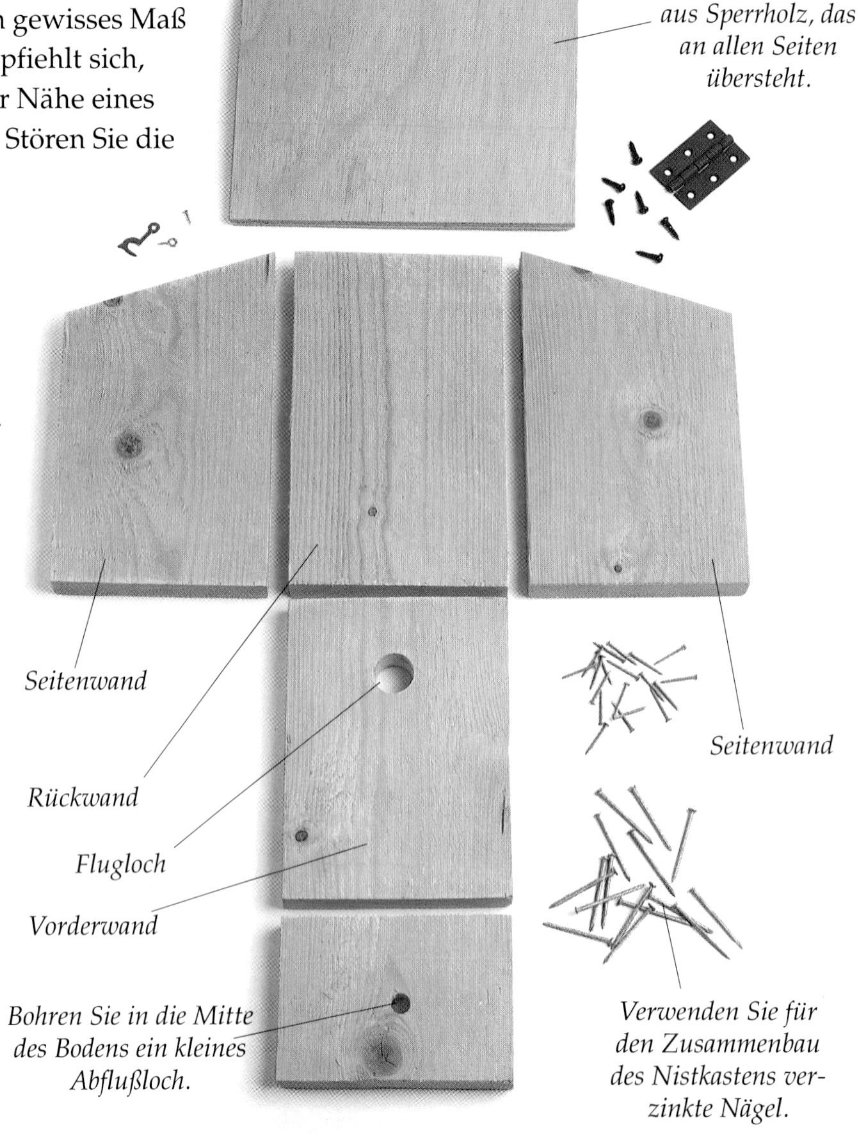

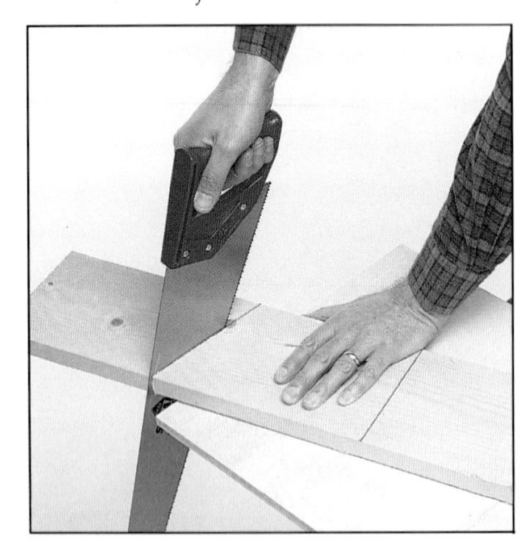

2 Schneiden Sie die vier Seitenwände und den Boden mit einer Laubsäge oder einem Fuchsschwanz zurecht. Halten Sie herunterfallende Holzstücke vor dem Schnittende fest, um ein Absplittern zu vermeiden.

3 Markieren Sie die Lage des Flugloches an der Vorderwand ungefähr 5 cm unterhalb der Oberkante und bohren Sie es mit einer flachen Holzbohrerspitze in der gewünschten Größe aus.

5 Nageln Sie zunächst die Rückwand an der Bodenkante fest. Lassen Sie die Rückwand etwas über die Bodenunterseite überstehen.

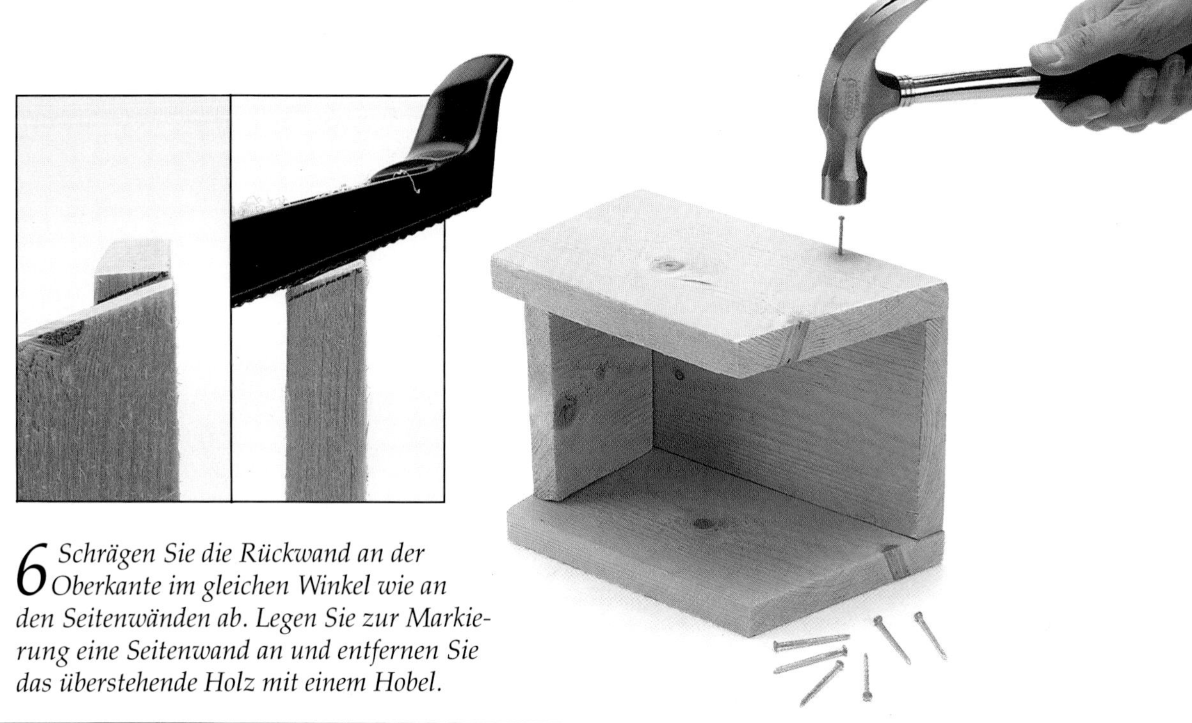

6 Schrägen Sie die Rückwand an der Oberkante im gleichen Winkel wie an den Seitenwänden ab. Legen Sie zur Markierung eine Seitenwand an und entfernen Sie das überstehende Holz mit einem Hobel.

7 Richten Sie die Oberkanten der Seitenwände mit der abgehobelten Kante der Rückwand genau aus. Nageln Sie die Seitenwände fest.

9 Schrauben Sie eine Holzleiste an die Rückwand des Kastens. Sie können später Nägel oder Schrauben an dieser Aufhängeleiste anbringen, um den Nistkasten zu befestigen.

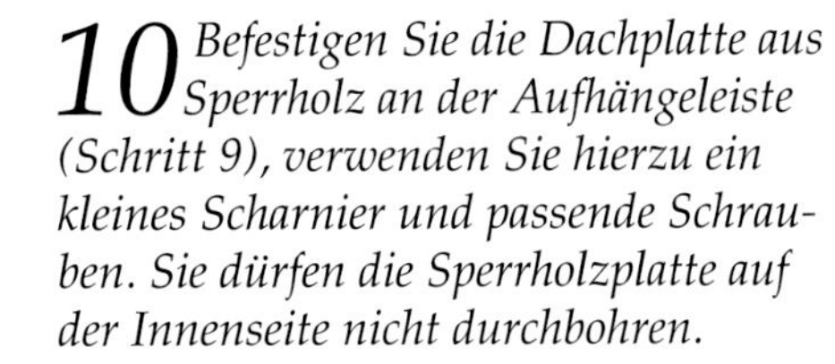

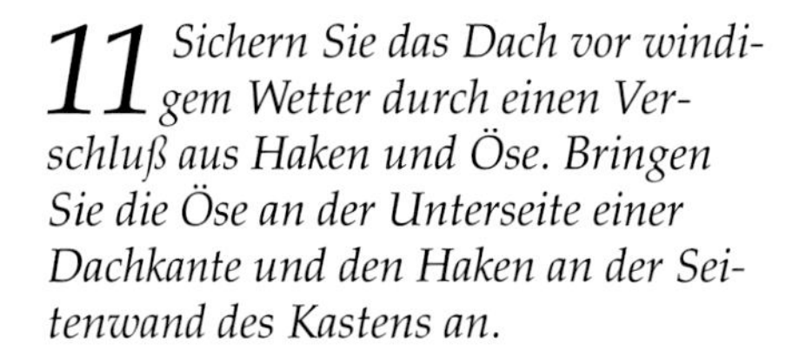

8 Bringen Sie die Vorderwand so an, daß seine Oberkante mit den Kanten der Seitenwände abschließt. Klopfen Sie Nägel durch die Seitenwände in die Vorderwand hinein. Befestigen Sie diese an der Vorderkante des Bodens.

10 Befestigen Sie die Dachplatte aus Sperrholz an der Aufhängeleiste (Schritt 9), verwenden Sie hierzu ein kleines Scharnier und passende Schrauben. Sie dürfen die Sperrholzplatte auf der Innenseite nicht durchbohren.

11 Sichern Sie das Dach vor windigem Wetter durch einen Verschluß aus Haken und Öse. Bringen Sie die Öse an der Unterseite einer Dachkante und den Haken an der Seitenwand des Kastens an.

12 Sie können die Oberfläche des fertig montierten Kastens mit einem wasserhaltigen Holzschutzmittel behandeln. Hängen Sie den Nistkasten erst an seinem Platz auf, wenn der Anstrich gründlich getrocknet ist.

Register

Halbfette Seitenzahlen verweisen auf Haupteinträge, *kursive* Seitenzahlen auf Bildunterschriften und Abbildungen.
Seitenzahlen im Normaldruck kennzeichnen die übrigen Textstellen.

A

Abschlußlatte 61
Abschlußriegel 60, 61
Abstandhalter 13

B

Bank 11
Bauwinkel 41
Befestigungsklötze 87
Befestigungspflöcke 14, 30
Berberis 73
Beton 20-21, 21, 22, 24, 48, 54, 72, 86
  Betonfundament 22, 22, 40
  Betonpfosten 60
  Betonsockel 56
  Fertigmischung 22
Blumenkasten 82, 84
Bohrmaschine 84
Bolzen 54, 55, 77
Bruchsteine 31

D

Dekupiersäge 65
Dichtungsmittel, silikonhaltiges 29

E

Efeu 38
Eichstab 42, 42
Einfassungen 26-27, 27
  Kordeleinfassung 26
  Terrakotta-Kordeleinfassung 26
  viktorianische Kordereinfassung 26
Eisenbahnschwellen 70

F

Fahrweg 24
Farbe, mikroporöse 62, 62, 64, 65, 84, 85
Farne 38
Feile 89
Flechtzäune 67
Fliesen 26-27, 26, 27
  Keramik- 27
Frühbeet 11
  Bau 78-81
Futterplatz für Vögel 11, 86-87
Futterstufe 68

G

Gartendecks 11, 38-39
Gartenwalze 31
Gartenzäune 66-67
Gehrungsfuge 64
Gehwege 32, 38
  hölzerne 39
Granitsteine 28

H

Haken und Öse 89
Haltevorrichtungen
  Hülse 54
  mit Metallspannbolzen 54
Hammer 13, 14, 14, 17, 22, 24, 29, 40, 46, 49, 50, 54, 54, 55, 82
Handsäge 60
Heuchera 33
Hobel 89
Holz 36, 38, 58, 66, 72, 74, 76, 86,
  Hartholz 34, 76
  Weichholz 34, 36, 76, 78, 81, 86, 86, 88
Holzfarbe 37
Holzlatten 12, 13, 15, 34, 35, 36, 36, 37, 39, 56, 57, 58
  gekerbte 12
  mit Feder und Nut 82, 84
Holzleim 75, 82, 83, 87
Holznägel 86
Holzroste 11, 34-37, 35
  Holzrostplatten 39
Holzschutzmittel 34, 35, 37, 54, 56, 58, 59, 60, 62, 66, 67, 72, 73, 74, 76, 81, 84, 85, 87, 89
Holzspachtelmasse 82
Holzstämme 70, 70, 71
Holzstufen 70-71
Hostas 38

K

Kacheln 45
Kalk 48
  gelöschter 20, 20, 21, 23, 40
Kelle 23, 25, 43, 50, ,52, 51, 76
Kies 21, 25, 30, 31, 32-33, 32, 33, 70, 71, 77
Kieselsteine 16, 28-29, 29, 30, 32, 35
Kiesweg 30-31
Klammern
  L-förmgige 57
  Metall- 58
Klemmsockel 54, 55, 57
Kombinationswinkel (verstellbarer Richtscheit) 36
Koniferen 73
Kopfsteinpflaster 28-29

L

Lattenzaun 62, 64-65, 66
Laubsäge 37

M

Maschendraht 53, 62
Mauerdübel 74
Mauern 11, 44-45
  Ziegel- 40-43, 50
Mauersteine 74
Mauerverbände 44-45
Mauerwerk 38
  Fundament 55
  Mauerfarbe 50
  Pfeiler 39
  Schlagbohrmaschine 54
Metallklammer, U-förmige 57
Mörtel 20-21, 22-23, 23, 24, 25, 26, 27, 40, 41, 42, 42, 43, 44, 46, 49, 50, 51, 52, 69, 74
  Mörtelbett 26, 28, 29, 43, 48, 50, 53

N

Nägel, verzinkte 30, 34, 36, 37, 55, 56, 57, 58, 59, 60, 61, 62, 64, 67, 71, 72, 73, 82, 88, 89
Nagelhilfe 60
Nistkasten 88-89
Nuthobel 38

P

Parkplatz 24
Pergola 11, 72-73, 77
Pflanzgefäß aus Holz 82-85
Pflasterbeläge 14-15, 15, 16, 16, 17, 18, 18-19, 27
  Fischgrätmuster 14, 16, 17, 27
  Korbflechtmuster 14, 15, 16
  Läuferverband 14
  Schachbrettmuster 16
Pflasterfläche 12, 15, 25
  feste 33, 34
  Pflasterplatten 18, 34, 68, 70, 74, 76, 77
  Pflastersteine 29, 34
  unregelmäßige 24-25
  Ziegel 16, 19, 34
Pflasterplatten 12-13, 13, 16, 18-21, 22, 23, 26-27, 31
Pflastersteine 14-15, 15, 16, 16, 17, 20, 31, 35, 49, 51, 52, 53
  Bruchsteine 48-49
  Pfeiler 52, 53
  Pfeilerkappe 52, 53
  Stützpfeiler 50, 51, 52
  Unterstützung 57, 60
Pflöcke 12, 30
Pfostenhalter 54, 55, 56, 72
  Stahlspitze 54

verschraubbarer 54, 54, 55
Phormium 73
Plattenbeläge
auf Mörtel 22-23
auf Sand 12-13, 18-19
unregelmäßíge 24-25
Plattensäge 14, 16, 18
Polykarbonatplatte 80, 81

R

Randeinfassung 14, 30
Rechen 31, 32
Riegel 58, 59, 60, 61, 67
Halterung 59
Rindermulch 70, 71
Rosenbögen 11

S

Säge
Bügelsäge 80
Dekupiersäge 65
Fuchsschwanz 88
Laubsäge 88
Stichsäge 66
Sand 12-15, 12, 20, 20, 21
Bausand 14, 23, 40, 48
Betonsand 14, 23
feiner 13, 15, 20, 26
Sandbett 22, 27, 75,
Schlagklotz (Rammschutz) 54, 55
Schnurlinien 12
Schotter 21, 31
Schrauben 39, 44, 57, 61, 62, 64, 74, 75, 79, 80, 81, 86, 87
mit Schnappverschluß 81
rostfreie 57
Senkschrauben 79, 81, 86
verzinkte 79
Schwelle 70
Sechseckverbundpflaster 12
Setzer 46, 49, 27, 14
Setzlatte 15, 22, 22, 24, 25, 27, 29, 31, 43
Sichtschutzmauer 50-53
Sitzbereiche 38
Sitzplätze 11, 74-77
Baumsitz 76
Pflasterplatte 77
Rundhölzer 77
Sitzbrett 77
Spalier 61, 66, 67, 73
Sperrholz 38, 41, 88, 89
freilandtaugliches 84, 84, 86, 86, 87
Spitzbohrer 57
Spreizdübel 54
Steine 24, 32, 32
Blöcke 48, 49, 52, 53
Bruchsteine 30,31
dekorative 31
Natursteine 48
Steinmauer 48-49, 50
Stichsäge 66
Stützpfeiler 46-47, 51

T

Terrakotta 26
-platten 26
Terrassen 11, 12, 14, 16, 24, 28, 32
Ton 26
Töpfereiabfälle 26
Treppen 11

U

Übertöpfe 11
Unterlegscheibe 54, 77

V

Verfughilfe 23
Verstärkungsstäbe 53, 60

W

Wasserwaage 12, 15, 17, 25, 26, 29, 41, 42, 50, 51, 54, 55, 56, 60, 68, 71
Wege 11, 14, 16, 16, 24, 28
Garten- 12, 24
Kies- 30-31, 30, 32, 33, 35
Kieselstein- 29
Mauerwerk 38
Weichmacher, chemischer 20, 20, 21, 23, 27
flüssiger 40

Z

Zange 57
Zäune 11
dichtgelattete 58-61
Ranchzaun 62-63
Klammern 57
Lattenzaun 64-65, 66
mit versetzt angeordneten Latten 62
Querleisten 64
Zaunlatten 60, 61
Kiesbrett 58, 59, 60, 61
Lattenzaun 58, 58, 59, 61
senkrechte Holzlatten 58
überlappende 56
Zaunpfosten 54-55, 56, 56, 57, 58, 58, 59, 60, 62, 65, 67
Pfostenaufsatz 61, 62
Zaunteile 56-57, 56, 57, 66
Baumbusrohre 66
Schilfrohr 66, 67
vorgefertigte 56
Zement 20, 21, 22, 27, 40, 48
Mauerzement 20, 20, 21
Ziegelmauer 40-43
Ziegelsteine 20, 29, 34, 34, 35, 40, 41, 46, 46, 48, 56, 70, 74
Binderschicht 45
Blendsteine 40
gewöhnliche 40
Pflasterziegel 12, 28
Ziegelstufen 68-69
Ziegelwerk 78
Englischer Mauerverband 44
Flämischer Mauerverband 45
Läuferverband 41, 44, 45, 46, 68
Stützpfeiler 46-47, 52, 74, 74, 75
Verbandmauern 44-45
Zuschlagstoffe 21, 22, 23
Betongemische 21, 23
dekorative 30
grobe 24
Kiesmischungen 32

Bildnachweis

Die meisten Abbildungen in diesem Buch stammen von Neil Sutherland und sind urheberrechtlich geschützt (© Colour Library Books). Einige Abbildungen haben die folgenden Fotografen freudlicherweise zur Verfügung gestellt; Seitenzahl und Position sind mit (u) unten, (o) oben, (m) Mitte, (ul) unten links usw. gekennzeichnet.

Eric Crichton: Schmutztitel, Inhaltseite, 16 (o), 22-23 (u), 25 (ur), 28 (ul), 29 (or), 31 (ur), 33 (l, or, ur), 38 (ul), 39 (or), 61 (ur), 66 (o), 67 (ol), 76 (o)
John Glover: 19 (ul, ur), 28 (ur), 35 (or), 47 (or), 85 (or)
S & O Mathews: 67 (om)
Natural Image: 38 (r), 45 (or)
Clive Nichols: 10, 17 (ul), 27 (o, Jean Bishop designer), 27 (ur, Keela Meadows designer), 32 (o, u), 33 (l, or, ur), 39 (ol), 67 (or), 67 (ur, Graham Strong), 73 (ol, Jill Blllington designer), 77 (ol), 77 (or, P. Rainey Crofts designer)

Danksagungen

Die Herausgeber danken den folgenden Personen und Organisationen für ihre Unterstützung bei der Erstellung des Buches: Forest Fencing Ltd.; Garboldisham Garden Center, Hillhout; Millbrook Garden Center, Gravesend; Murrells Nurseries, Pulborough; Sharpe and Fisher Building Supplies, Pulborough; Thakeham Tiles Ltd., Timber World, Horsham; Travis Perkins Trading Company Ltd., Crawley.